地域を変える文化遺産の活かし方

ヘリテージ マネジメント

松本茂章 編著
中川幾郎・南博史・髙岡伸一・朝倉由希・信藤勇一・高島知佐子
森屋雅幸・西村仁志・石本東生・藤野一夫 著

HERITAGE MANAGEMENT

SHIGEAKI MATSUMOTO
IKUO NAKAGAWA/HIROSHI MINAMI/SHINICHI TAKAOKA/YUKI ASAKURA
YUICHI NOBUTO/CHISAKO TAKASHIMA/MASAYUKI MORIYA
HITOSHI NISHIMURA/TOSEI ISHIMOTO/KAZUO FUJINO

学芸出版社

はじめに

本書は、日本で初めて「ヘリテージマネジメント」を主題名に掲げた書籍である。日本語に訳せば「文化遺産経営」とされる取り組みについて、豊富な事例を取り上げながら、分かりやすい書籍づくりを目指した。

有形の「ヘリテージ」や「文化遺産」を守り伝える取り組みは、従来、歴史学や建築学の関係者が主導してきたように映る。尊い取り組みではあったが、地域は新たな局面に差し掛かっている。東京一極集中のなか地域はどう生き残るのか？　この土地に生まれた誇りをどのように形成するのか？　国内外からの観光客をいかに誘うのか？　今日的な課題が山積するなか、政策学や経営学からのアプローチが求められているのだ。

さらに文化遺産にはタンジブル（有形）とインタンジブル（無形）があり、文化遺産を継承・活用していくためには、いずれにも目を配り、巧みに双方の魅力を活かしながら、地域の課題解決に向き合う人材の育成が急務である。文化系・理科系、有形・無形を問わず、総合的に物事を見ることのできる有意な人材を育てることが地域活性化に欠かせない。

たとえば歴史的な建築物を活用して飲食店舗や文化芸術の場（ギャラリーなど）を設けたいと願うとき、融資の仕組みや相続の知識を把握したい。文化遺産を取り巻く法律の知識は欠かせない。おいしい飲食物の提供が求められる。芸術家との人脈を築く必要もある。文化政策の現状を知っておきたいし、歴史学・建築学の内容も頭に入れておきたい。改装・修復に関する建築技法の習得も迫られる。このため本書では、有形から無形まで、非営利から営利まで、文化芸術から金融まで、北海道から九州まで、多様な動きを取り上げる。海外事例にも言及する。これほどまでに幅広く盛り込んだ文化遺産関連書籍は、管見の限り、これまでになかった。

筆者は文化政策やアートマネジメントに関心を有する。小学校校舎を改修した京都芸術センターの研究を行い、歴史的建築物をアートに活用する動きを調査してきた。本書ではさらに対象を広げ、文化遺産の活用事例を通じて、観光、まちづくり、教育、福祉、産業等の振興に光を当てる。

学芸出版社から出版した前作『文化で地域をデザインする　社会の課題と文化をつなぐ現場から』(2020) では、日本の将来のために「地域文化デザイン人材」の育成が急務であること、彼ら彼女らの活躍次第で地域振興の成否が決まることを指摘した。本書で提唱する「文化遺産経営人材」もその１つであると筆者は受け止めており、両書籍の問題意識は通底している。日本の将来を担う人材育成のためには何が必要なのか、何が求められるのかを考え続けたい。

本書では、できる限り登場人物の生の声を紹介することに努め、時代の空気を伝えたいと願った。筆者が言及できない専門分野に関しては研究仲間たちに支援を仰いだ。実に多彩な人物に登場していただいたが、肩書等は聞き取り調査を行った当時のものとした。その後、退職や人事異動などで、当時と現在では肩書等が異なる場合があることを申し添える。

本書の読者には建築関係者、文化芸術関係者、自治体職員、財団職員、まちづくり関係者、院生・学生、歴史的な建物を活用して店舗営業や住まいづくりを希望する市民や事業者……など多彩な層を想定した。盛りだくさんの内容なので、関心のある事例から真っ先に読み進め、あとで他の事例、理論編、インタビューに戻ってもらっても大丈夫である。読み終わったとき、文化遺産経営を巡る物語に心を躍らせ、引き込まれることを期待したい。さあ、魅力的な世界に分け入ってみよう。

編著者　松本茂章

注

本書の題目には「ヘリテージマネジメント」を掲げたが、まだ一般的ではないうえ、カタカナ11文字を表記すると少し長い。そこで本文中では「文化遺産経営」を同義語として用いる。文章の流れに沿いながら、適宜、両方の言葉を併用していきたい。さらに「文化遺産マネジメント」などと漢字とカタカナを混ぜて語る場合もある。筆者は日本アートマネジメント学会会長を拝命するなど、文化芸術のマネジメントに関心を有する。同学会名のように、近年は「マネジメント」や「マネジャー」と表記する場合が多くなった。そこで本書では原則的に「マネジメント」あるいは「マネジャー」との表記を用いることにする。各県で行われている育成講座等の名称が「ヘリテージマネージャー」などとされている場合には、固有名詞の表記に従う。

目次

第1章

ヘリテージマネジメント新時代
～「保存・継承」から「経営」へ～

松本 茂章

1 持続可能な「文化遺産経営」に必要なもの

本書の題名「ヘリテージマネジメント」は日本の社会に定着した言葉とは言い難い。英語であれ、「文化遺産経営」と訳した日本語であれ、双方の用語はこれまで十分に論議されてこなかった。概念整理が時代に追い付かなかったのかもしれない。筆者は文化政策やアートマネジメントの研究成果から、こうした文化遺産のマネジメントには3つの「役割」があると考えている。①地域の今日的課題（人口減少、少子高齢化、社会包摂、福祉、教育、観光など）の解決に貢献すること、②地域の歴史的な特色や重み（独自性）を再確認し、そのまちに暮らす誇りを形成すること、③歴史遺産（建物であれ、遺物や遺構であれ、技術であれ）を保存・継承する技法や技術を残す、あるいは技法や技術を磨くこと、である。

加えて3つの「機能」があると受け止めている。①団体・組織のマネジメント、②事業のプロデュース、③ファンづくりのマーケティングである。これら「3つの役割」「3つの機能」はいずれも欠かせないものだと考える。さらに上位概念として位置付けられるのが「持続可能な文化遺産経営」である。「文化遺産を何とかうまく経営して、持続可能に保存・活用すること」が大前提になる。

上記の「文化遺産経営」を持続可能な形で実現させるためには、次の3点が必要である。1つには理念を具現化するための文化遺産経営人材の存在である。特に地域文化遺産は地元と密着しているので、地域の人々と親しくなる、行政機関と円滑に意思疎通する、などのコミュニケーション能力の高さが重要になる。2つには資金調達のための不断の努力である。自ら稼ぐ、民間篤志家の寄付を得る、行政の補助金を獲得する等の方法がある。3つには専門的知識を養うことだ。人文科学（歴史学、考古学など）、社会科学（経営学、経済学、政策学など）、自然科学（工学など）の3つのディスプリン（学問）をバランスよく身に着けたい。

しかしよく考えてもらいたい。身近に「必要な3点」を兼ね備えた人物が存在するとは思えない。となれば私たちは団体をつくり、組織を設立し、互いに情報を連絡し合いながら前進するしかない。株式会社、有限会社、NPO法人、社団法人、任意団体、グループなどで持続可能性を担保していくことになる。この際、個人の名人芸や手腕だけでは対応できないと思われる。すなわち「何とかうまく持続可能な体制を構築する」ことが肝心なのだ。

2 保護から活用へ

戦前の文化政策においては、文化財という包括的な概念がなかったため、有形文化財と記念物の保護は別の制度だったとされる。根木昭によると、[注1)] 有形文化財の保護は1871（明治4）年の太政官布告「古器旧物保存方」に始まり、欧化政策や廃仏毀釈に伴い危機に直面した文化財を守ろうとしたという。1897（明治30）年には「古社寺保存法」が制定された。ところが社寺や旧大名家の宝物類が散逸する恐れなどから1929（昭和4）年に「国宝保存法」が制定された。1933（昭和8）年には「重要美術品等ノ保存ニ関スル法律」が定められ、重要美術品の海外流出の防止に効果をあげたとされた。戦時体制に入ると、根木は「戦争の激化とともに、文化財の指定、認定の業務等は停止され、終戦までの間、主として文化財を戦禍から守ることに重点を置くことを余儀なくされた」[注2)] と指摘している。

戦争が終わると、経済的危機や財産税の導入などに伴い、文化財の保護は困難に直面する。1950（昭和25）年における文化財保護法の制定は従来の法律を総合した全般的・統一的な法律だったとされる。[注3)] 同法が制定された契機は、法隆寺金堂壁画を保存する作業中に起きた火災だった。この法律で初めて「文化財」の概念が導かれ、文部省の外局として文化財保護委員会が設けられた。

そして戦後の高度成長を受けて、東京五輪の2年後の1966年には文部省内に文化局が発足し、1968年には文化局と文化財保護委員会が合わされて、外局としての文化庁が誕生したのである。

20世紀末まで文化財を保存することに力点が置かれてきたことについて関係者の意見が一致する。文化財活用への動きは21世紀に入って本格化した。特に2015年から動き始めた「日本遺産」以降、一層目立つようになったとされる。[注4)]

文化財保存重視から活用重視に転じたのはなぜなのか？　1つに1996年に新設された登録有形文化財制度がある。国が指定する国宝や重要文化財、あるいは県や市町村が指定する地域の文化財とは異なる視点から設けられた。国宝や重文ほどの補助金は支出されない分、比較的登録がしやすくなり、地域文化遺産に対する関心が高まった。阪神・淡路大震災（1995年）によって数多くの歴史的建築物が壊れたことから生まれた制度だった。

2つには、観光振興である。観光産業を盛んにすることで地域での消費行動（宿泊、飲食消費、物品購入など）が促進され、地方創生には欠かせないものとされた。特に訪日外国人観光客（インバウンド観光客）に関して、政府は「2020年に年間4000万人（消費額8兆円）」の達成目標を掲げた。2011年では年間622万人（消費額7086億円）にとどまっていた訪日外国人の数は8年連続で増え続け、2019年には過去最高の同3188万人（消費額4兆8135億円）に達した。京都では京町家を改装したゲストハウスの開業が相次いだ。しかし新型コロナ感染拡大で2020年は411万人にとどまり、過去20年で最低水準に落ち込んだ。2025年に開催される大阪・関西万博に寄せて今後どのぐらい回復するのか、が気がかりだ。

3つには、若い世代が古いものに魅了されるようになった。昭和の時代には、高層ビルが都市部の人気スポットだったが、21世紀には「伝統的な文化」に関心が向けられるようになった。戦前に建てられた木造の建物やレトロな洋館はカフェや西洋料理のレストランに変身し、人気を集める。

京都では「京町家」ブームが到来し、前例のない価格で取り引きされるようになった。男女ともに着物人気が高まり、着物を着てまちなみを散策する。レトロな建物の風景がSNSで発信される。社会の風景も変わった。

4つには、人口減少と少子高齢化のなか、新築物件が減ったことも一因であろう。企業がヘリテージを専門とする新部署を発足させるなど新たな動きがみられる。文化遺産を再生・活用するビジネスチャンスが生まれた。

5つには、地域の文化遺産が人々の誇り形成に貢献する点にも注目したい。地域の文化遺産の活用次第で「ここに生まれてよかった」とのシビック・プライドを構築できる可能性がある。

時代の潮目が変わってきた。何かが動き始めている。本書では、地域の文化資源の価値を再発見して巧みに活用する取り組みに焦点を当ててみたい。とはいえ「ヘリテージマネジメント」「文化遺産経営」と呼ぶ限りには、「マネジメント」「経営」とは何かをしっかりと考えてみる必要がある。

筆者が思うに、現代社会における「文化遺産経営」は、有形（タンジブル）、無形（インタンジブル）それぞれの「活かし方」（マネジメント）を総合的に勘案しながら、地域づくりに役立てることである。建築への深い素養や技法の習得、地域の歴史に対する知識や理解はもちろんのこと、法律・金融・文化・事業等に関する幅広い素養や知識が欠かせない。文化財専門家とまちづくり関係者の協働関係も必要だ。文系・理系双方の素養や経営能力も不可欠だ。このような総合的な「ヘリテージマネジメント」の実現が時代の要請になってきた、という仮説のもとに本書の編纂を進めた。

3 「自ら稼ぐ」意識の重要性

文化遺産経営の先進地である英国ではどうなっているのか？　英国の事情に詳しい共著者の高島知佐子が担当した第8章3節の記述等によると、文化遺産保存･活用を使命（ミッション）とする民間団体では､「自ら稼ぐ」意識がとても高いのだという。

政府が1970年代から慢性的な財政難に陥っており、補助金支出より、民間が活動しやすい制度をつくることに力点を置いているからだ。文化遺産の保存と活用に限らず、社会に貢献する団体には非営利な「チャリティ」という資格を与え、所得税が免除される。法人格の有無は問われない。「チャリティ」団体に寄付をしたところは全額損金扱いになり、所得税を支払わなくてよくなる。そして「チャリティ」と同じグループ内に設立された「エンタープライズ」（営利部門）が稼いで、「チャリティ」に寄付をする関係にある。

たとえば、Aという「チャリティ」団体があったとしよう。A団体は歴史的な建築物を所有している。A団体は営利部門のB企業に建物を貸し、Bはホテルやレストランを経営する。家賃はBからAに支払われてAの収入が増える。さらにBがホテル・レストラン・グッズ販売等で稼いだ収益の全額をAに寄付すると、Aはさらに増収となる。これらの全額は損金扱いになり、所得税が免除される。豊富な資金を得たAは、歴史的建築物の改修に費用をつぎ込むことが可能になり、建物の持続可能性が高くなる。稼ぎながら長い時間をかけて丁寧に保存・修復していく訳だ。「稼ぐこと」は資金調達にとどまらず、遺産の価値を広く伝える広報活動にもつながる。

こうなれば地域への好影響も生じる。AやBは地元の人々を雇用できる。地域に多くの来訪者が訪れ、観光産業等が生じて人々の職場が生まれる。

これらは理想的な展開である。高島自身「英国にも様々な困難がある」と認めつつ、「日本では政府の補助金は多額でないうえ、民間寄付にも損金扱いの上限が設けられている。財団法人改革の際には内部留保に制限がかかった」とため息をついていた。日本の現状は中途半端なのである。

このような日本の制度を踏まえて、マネジメントを考えなくてはならない。マネジメントとは、国情、法律、条例、規則、予算制約などの諸条件を勘案しながら、「何とかうまくやっていく」ことなのだから。

4 文化遺産をめぐる法整備 ― 総合政策化する文化政策

戦後のわが国では、省庁の縦割り行政が長く続いてきた。しかしあらゆる文化政策を統括する「文化省」が中央政府に設けられてこなかったため、文化政策は各省庁で分断されてきた。たとえば文化財保護なら文部科学省および外局の文化庁が、観光振興なら国土交通省および外局の観光庁が、映画やアニメなどの映像産業振興ならば経済産業省が、食文化振興ならば農水省が、国立公園など自然文化の管理や整備ならば環境庁が、それぞれ所管してきた。

同じく、わが国においては、文化政策を実施するうえでの明確な根拠法が長く制定されてこなかった点も指摘したい。しかし 21 世紀に入り、我々はようやく根拠法を有することができた。2001 年に制定された文化芸術振興基本法と 2017 年に改正された文化芸術基本法である。

旧・文化芸術振興基本法が制定された当時、基本法なのか、振興法なのかの議論が生じ、曖昧さを問題視する声が研究者の間から出されていた。その後、わが国では文化をめぐる政策が重要なものであるとの認識が広まり、16 年後に改正が実現されて新・文化芸術基本法が実現した。いくつもの重要な論点が盛り込まれているのだが、ここでは文化遺産に関する点に絞って言及する。

基本理念に触れた同法第 2 条の 6 において「文化芸術に関する施策の推進に当たっては、地域の人々により主体的に文化芸術活動が行われるよう配慮するとともに、各地域の歴史、風土等を反映した特色ある文化芸術の発展が図られなければならない」と明記された。文化政策は地域の特性に応じて進められるべきだが、特に地域文化遺産の場合、地域性が著しく、東京ですべてを統制できる訳ではない。

分かりやすく言えば、文化芸術の東京一極集中が著しい現状に警鐘を打ち鳴らし、地域性の重視を明らかにしたわけである。そして行政主体ではなく、地域の住民らが主導する形を提唱した。これらは理念であり、実行には困難が伴うものの、日本の将来像が示された。

さらに同法第2条の10では、文化政策の対象が「拡張」された点も重要である。「観光、まちづくり、国際交流、福祉、教育、産業」等との有機的な連携が求められるようになった。同法12条では「食文化」も対象に盛り込んだ。このため、同法に基づいて中央政府に設立された文化芸術推進会議の幹事会には、文化財等を所管する文化庁に加えて、農水省の食文化・市場開拓課長、経産省のクールジャパン政策課長、観光庁の観光資源課長、環境省の国立公園課長らが加わった。中央省庁の縦割り行政を排して「総がかり」の省庁横断態勢が求められた。

こうなると、従来の狭義の文化政策、たとえば文化財を保護したり、文化会館や博物館を整備したりするなどの狭い意味での文化政策とは異なる新たな地平線が見えてくる。新時代の文化政策が展開され始めた。

文化財保護政策も、各省庁の分野にまたがってくる。たとえば歴史的建築物を活用する場合、建築技法は国土交通省の所管だが、ここを飲食店にする場合、提供する食材は農水省に関係してくる。福祉事業に活用するならば厚生労働省の所管につながってくる。「文化遺産活用をめぐるクロスオーバーな取り組み」が繰り広げられていくのだ。

現代社会における文化政策の新しい潮流のもとでは、文化財保護や文化遺産経営も変容を迫られる。保存重視からより一層の活用が求められる新時代に突入した。

2018年には文化財保護法が改正され、2019年に施行されて、活用しやすい状況を整えた。加えて2020年5月に施行された「文化観光拠点施設を中核とした地域における文化観光の推進に関する法律」（文化観光推進法）にも注目したい。文部科学省と国土交通省が共管するもので、「文化」（文化資源の保存・活用）⇒「観光」（魅力向上・来訪者の増加）⇒経済（地域経済の活性化）という形で、3つの好循環を生み出すことを狙いとしている。

法律上初めて「文化観光」という概念を定義し、「文化資源の観覧等を通じて文化についての理解を深めることを目的とする観光である」と位置付けた。「文化観光拠点」（博物館、美術館、社寺、城郭等）において分かりやすい解説紹介を進め、文化観光推進事業者と連携する必要性などをうたった。主務大臣に認定された計画に基づく事業に対しては、法律上の特例措置や予算支援を行うことになった。たとえば共通乗車券・共通乗船券などの交通アクセス向上の手続き簡素化などが提示された。

同法は「文化観光拠点」の整備に主眼を置いているので、文化遺産経営に焦点を当てた本書とは視点が異なる。しかし同法でいう「文化資源の保存・活用」と本書で示す文化遺産経営は同じ方向性としてとらえられるのではないか。同法が今後どのように成果をあげるかを見守りたい。[注5)]

文化遺産をめぐるわが国の法整備については本書の第2章4節で詳述する。文化財保護法の改正、歴史まちづくり法の制定、建築基準法をめぐる諸課題、相続税の現状と課題に触れる。

5 「有形」と「無形」を総合的に捉える

既存の書籍と比べて類のない本書には、いくつかの特色がある。

第一に政策学の視点から見つめている。文化遺産経営を大きくとらえるには、まずは文化遺産を守り、活用するための制度づくりなどの政策を考えることが大切だと考えたからだ。行政組織が税金を投入してでも文化遺産を後世に伝えることには、どういう意味や意義があるのか。これを最初に踏まえておきたい。「文化遺産は貴重であり、何とか残さなくては」という従来型論議の枠組みに閉じ込められてしまうことを避けたいと願った。

このため、理論編の第2章では、真っ先に日本文化政策学会初代会長の中川幾郎による政策学の視点を掲載した。加えて、文化遺産経営を鑑みるためには欠かせない歴史学、建築学によるアプローチを提示した。

第二には、有形と無形をバランスよく取り上げたことである。有形の場合、国宝や国の重要文化財よりも、むしろ国登録文化財に焦点を当てている。あるいは国登録文化財ですらない建物の復元や、戦後に建てられた古い木造民家のリノベーション事例に言及した。地域の人々が身近に感じ、関わることができる題材を選んでみた。無形では農業、自然環境、伝統工芸、伝統芸能、伝承・口承などに注目して幅広く取り上げるように務めた。

第三には、経営学の視点を盛り込むことに努めた。積極的に金融、投資、ビジネスの話を取り上げた。これらの課題や現状を学ぶことで、わが国の文化遺産経営のありように示唆を与えることができると考えた。

次の第2章では、政策学や地方自治論からみて、なぜ今、文化遺産経営が大切なのか、を論じる中川幾郎（帝塚山大学名誉教授）の問題提起から紹介していこう。

注

1）根木昭『日本の文化政策―「文化政策学」の構築に向けて―』勁草書房、2001年、10頁。
2）根木、同書、11頁。
3）根木、同書、13頁。
4）松田陽「保存と活用の二元論を超えて―文化財の価値の体系化を考える」小林真理編『文化政策の現在3　文化政策の展望』東京大学出版会、2018年、27頁。
5）文化資源については、小林真理「文化資源」小林真理編『文化政策の現在1　文化政策の思想』東京大学出版会、2018年、261～273頁、に詳述されている。

第2章　地域文化遺産を活かすために

2-1　公共政策としてのヘリテージマネジメント

中川幾郎

1 文化財保護とその活用

文化財の「保存」にかかる維持管理は、基本的に所有者（国、地方自治体、個人などさまざま）の責任である。一方、文化財の「活用」については旧法にも規定は存在していたものの、戦後復興から高度経済成長に至る変化の激しい時期においては、活用よりも保存に重きが置かれてきた実情がある。そこでは、保存に対して公的補助を行うという手法が取られてきた。

特に自治体が重要と認めた「指定文化財」の保存・管理については、現状変更に厳しい制限がかけられ、所有者はさまざまな制約に直面してきた。加えて昨今、個人所有者の高齢化や継承者不足により、個人所有の文化財や伝統技術の保存・継承が危機的状況にある実態が指摘されている。

その一方で成熟社会となった今日、一般市民の意識にも変化が生じてきており、景観や歴史的建造物の価値に対する人びとの関心や評価は高まってきている。町屋を改造したレストランや古民家のカフェ、城や洋館など古い建物での結婚式やパーティーの人気、さらに自分もレトロな雰囲気に浸るレンタル和装でのまち歩きイベントなどは、人気の観光コンテンツとなっている。だが一方では、歴史的資源を観光資源として価値づけし、消費し尽くすことへの不安も感じられる。それは観光資源として有用な文化的資産の過剰な消耗というリスクとともに、観光的価値を有する文化資産以外は、その価値が低いとみなされかねないことへの危惧といってもよい。

各種の調査研究、地方自治体からのアンケートなどを踏まえた2019年の文化財保護法改正で、文化財の「活用」が新たな脚光を浴びた。改正法が注目されたのは、文化財保護を点から面へと示し、文化財活用をたんなる消費に終らせず、そこから生じた利益を文化財保護に使う循環的な仕組みを示唆した点にある。それだけではない。これまで保護の対象ではなく、保護継承の危機に瀕していた未指定の文化財をも含めて、市町村が策定する「文化財保存活用地域計画（以下「地域計画」という）」を通して地域ぐるみで保護していく方向性が「指針」において示されたからである。注1)

すなわち、「地域計画」の具体的な運用は、すでに従来型の文化財保護ではなく、まちの魅力づくり、歴史的資源を活かしたまちづくりそのものとなってくる。またそれは、教育委員会単独の文化財行政の範疇を超え始めており、首長部局を含んだ自治体行政各部局が横断的に連携する、総合的な自治体文化政策として取り組まなければならない。注2) そこでは、「地域計画」をコアとしながら、まちづくりのストーリー形成や民間ヘリテージマネジャーなど関係者の重層的かつ多様なネットワーク形成のための、行政と民間との協働によるプロデュースが必要となる。

2 自治体文化政策とヘリテージマネジメント

ところで、自治体文化政策を構成する施策や施設に関する事務は、意外なことに、そのほとんどが「法定外自治事務」である。つまり、それらは国法に基づく国の事務を受託して行う「法定受託事務」ではなく、自治体にとって自主的（みずからの財政責任において）かつ主体的（みずからの政策判断に基づいて）に行う政策領域である。自治体文化政策の範囲内に存在する、私たちに身近な公民館、図書館、博物館、劇場・音楽堂等の設置・運営については、関連する法令が多数存在し、その施設設置基準を定めたり、運用・運営指針などが存在したりするものの、それら文化的施設を設置する法的義務や、業務を実施する法的義務が存在するわけではない。

現実には、条例根拠も文化基本計画も不在で、前例踏襲型の旧態依然とした文化行政施策が、縦割りの各分野、文化施設ごとに繰り返されている可能性がある。有形、無形の歴史的遺産や歴史的資源についても、文化財保護法の適用による保存は別として、その「活用」施策については特段の規定もなくあいまいなままであった。これらの施設や諸施策・事業、文化のまちづくりまでを体系的に視野に収めた、自治事務の根拠としての自治体文化基本条例が必要なのである。にもかかわらず、この自治事務条例を制定している自治体が未だに少数であることは嘆かわしい。

自治体文化政策は、地方分権を前提とした自治体経営を考える場合に、極めて大切な政策領域である。一つは、自治体における景観、歴史、文化を誇りとする人々、つまり空間、時間の集積、生活様式に対して、誇り（シビックプライド）と定住志向（ロイヤリティ）を持った能動的な市民層の形成と、それらの人々との自治体文化政策各分野における協働システムの開発が重要となる。

そのためには、市民の生活文化や芸術文化にわたる文化的人権保障政策が不可欠となる。まずは、市民一人ひとりの「文化的人権」を細やかにかつ平等に保障する、市民文化政策が存在しなくてはならない。つまり、性別、年齢階層、所得水準の差異、社会的関係資本の多寡、自由裁量時間の多寡、障がいの有無、国籍・民族性、居住する地域の利便性の偏差などを緻密に考慮した、水平的ヨコ軸（公平・平等）としての市民の文化的人権保障政策が、自治体文化政策の基礎に位置づくべきなのである。

その基礎の上に、都市の文化的アイデンティティを開発し、情報発信力を向上させるための選択的（戦略的）、集中的な政策資源投入を要する、垂直的タテ軸（選択・集中）としての都市文化政策が存在する。自治体文化政策は、このように「市民文化政策」と「都市文化政策」とに区分される（図1）。[注3)] そしてまた、この二つの柱の政策理念は一見して異なるように見えるものの、実は、市民的基盤が脆弱なところには、選択的・集中的な都市文化政策は持続可能ではなく、また花開くのが困難なのである。それどころか、重点投資の誤りによって都市を混乱、歪曲させ、停滞、衰弱させてしまう危険性すらある。

最近では、自治体ごとの「地方創生戦略」策定が国から要請され、そこでは、観光開発、インバウンドの誘致などが主題となっており、多くの自治体がシティ・プロモーションという名のアイデンティティ開発や都市発展戦略を、無理にでも意識せざるを得なくなった。文化・芸術や歴史資源を媒介とした観光開発や経済的な都市発展戦略が、自治体文化政策の重要課題として強く慫慂されてきたのである。だが、そこに「市民文化政策」との密接な関連は認識されず、また歴史的資源の保全と活用、すなわちヘリテージマネジメントを位置づけた「歴史文化」政策の裏付けとの関連性もあまり意識されなかった嫌いがある。要するに、地域経済振興、観光開発という命題が主となってしまい、そこに生きる生活者市民の存在や、文化・芸術、歴史的資源の保全・継承が、従属的な位置になってしまった傾向は否定できない。[注4)]

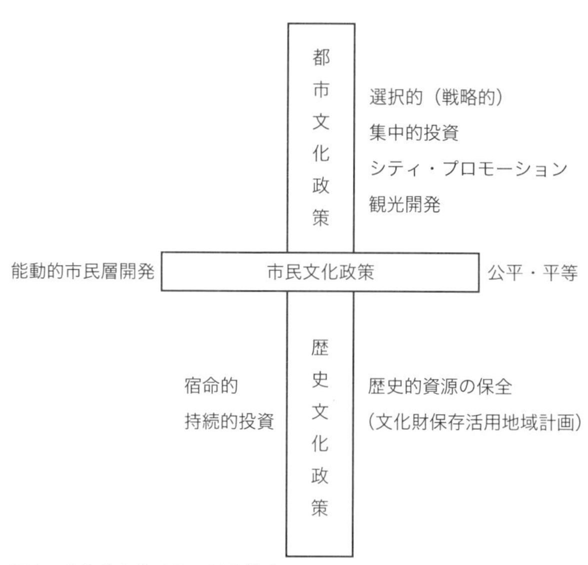

図１　自治体文化政策の基本構造

3 ヘリテージの再定義とマネジメントの協働へ

一般論としていえば、自治体文化政策における「ヘリテージマネジメント」の対象は、当然のことながら、民間ヘリテージマネジャーである建築士などが関わる歴史的建造物だけにとどまらず、すべての有形・無形文化財に広げられるべきものである。またそこでは、指定文化財であるか否かの枠組みをも超えることを想定すべきである。そもそも自治体文化政策は、自治体の自主的かつ主体的な政策であり、自治体としての「ヘリテージマネジメント」の対象も、自治体自身の主体的かつ政策的な選択によるからである。

例えば、島根県松江市において小泉八雲の「怪談」がそのヘリテージに位置づくとすれば、鳥取県境港市が生んだ漫画家、水木しげるの「ゲゲゲの鬼太郎」ほかの妖怪達が、境港市の選択したヘリテージである、と言えるのである（これらについては本書第6章3節「松江市のゴーストツーリズム」を参照）。さらに、地域固有の生活文化（衣食住）、自然や町の景観も、自治体が「貴重である」と判断すれば、その対象となりうる。

実は、「地域計画」に関する「指針」も、生活文化や国民娯楽などを含めて「地域計画」の対象とすることについて、自治体の主体的判断を肯定している[注5)]のである。これからの自治体によるヘリテージマネジメントは、この「地域計画」を中核に据えつつ、口承伝承や自然環境、都市景観までを包含して、広義の文化的資産をどのように保存、活用し、さまざまなまちづくりに活かしていくか、を主題とするといってよいだろう。その実践のためには、新たな文化財活用の視点と意義について地域住民の理解を深め、いままで以上に住民参加のまちづくりをめざすことが必要となってくる。

今後、新しい視点での「ヘリテージ」の保存・活用・継承に取り組む民間の文化遺産経営人材の育成が必要となる。そして行政と民間との協働によるマネジメントが一般化することによって、さらに幅広い住民との参画と協働による「文化のまちづくり」が広がりを見せていくであろう。

参画とは、現状把握、課題析出、方策研究・開発のステージである「政策形成」段階から、複数方策を比較考量し、最適方策を決定する「政策決定」や「政策実行」「政策評価・修正」段階に至る各ステージで、行政と住民との情報共有と相互参加が実践されることをいうのである（表1)。さらに、これら参画を前提として、共同で「政策実行」に当たること、それを「協働 Co-Production（共同生産)」という。

これら参画と協働によるヘリテージマネジメントを可能にするためには、民間ヘリテージマネジャーだけではなく、博物館学芸員などの教育委員会の専門職員をはじめ、一般行政職員全般にも、総合的な自治体文化政策の理解とコーディネート能力が必要となる。すなわち、「地域計画」を中核とした、歴史的・文化的視点に立ったまちづくりとは、自治体の文化的固有資産（Property）を活かした、体系的かつ戦略的な公民協働によるストーリーづくりと、それを可視化する総合プロデュースである、ともいえるからである。自治体職員にも、こうした新しい視点とそのためのスキルが求められている。

表1　政策形成過程のサイクル

<table>
<tr><th>政策形成→</th><th>政策決定→</th><th>政策実行→</th><th>政策評価・修正→</th></tr>
<tr><td>(参画)
現状把握・認識
課題析出
解決方策研究
解決方策開発</td><td>(参画)
解決方策比較・検討
基本方策（政策）決定</td><td>(参画・協働)
政策課題解決に向けた諸方策の実行</td><td>(参画)
政策、計画、事業の段階ごとの評価・修正</td></tr>
<tr><td colspan="2" rowspan="2">同調査・共同研究への市民参加、各種計画案等策定への市民参加、審議会、協議会等への市民参加</td><td>事業への参画（事業協働）</td><td>外部評価等への市民参加</td></tr>
<tr><td>(追求する価値)
最適有効性
効率性
経済性</td><td>有効性評価（政策）
効率性評価（計画）
経済性評価（事業）</td></tr>
</table>

注

1）文化財保護法に基づく文化財保存活用大綱・文化財保存活用地域計画・保存活用計画の策定等に関する指針（2019年3月4日、文化庁、以下「指針」という）II。文化財の保存と活用について（本指針の対象とする文化財）に「未指定文化財も含まれる」と記述。

2）2018年の文化財保護法改正と併せて「地方教育行政の組織及び運営に関する法律」第23条が改正され、第3号文化財の保護に関することが追加された。当該自治体条例に定めることにより、教育委員会ではなく首長が担当することができる事務に、文化財保護が加わった（ただし、当該自治体に文化財保護審議会を置くことが条件となる)。だが、単純に首長部局へ文化財保護行政を移管するだけで「文化財保存活用地域計画」の内容が実現し、保護と活用の両立が可能となるわけではないことに留意すべきである。

3）最近策定された自治体文化基本計画においても、政令都市である堺市、中核市である奈良市、東大阪市、地方の中核的都市である舞鶴市、酒田市など、自治体としての危機意識と戦略性を示している自治体文化基本計画は、共通して市民文化と都市文化の二つの柱で整理、構成されている。

4）文化財の活用には、発掘調査資料の展示会をはじめ、講演会・シンポジウム、各種パンフレット・ガイドブックの発行も当然含まれる。それらと併せて、日本遺産や世界文化遺産を構成する資産形成もその活用の一環であろう。観光資源としての役割は、これらの基礎的な努力の上に成立するものである。

5）「指針」IIに「生活文化や国民娯楽など、必ずしも文化財に該当するとは言えないものであっても、各地域にとって重要であり、次世代に継承していくべきと考えられる文化的所産については、これを幅広く捉え、文化財と同等に取り扱う視点も有効である」と記述。

2-2　考古学・歴史学の立場からの活かし方

南 博史

1 考古学のイメージと現代社会との溝

考古学は、過去の人類が暮らした生活の痕跡（遺跡、遺構）や、そこから出土した当時の人々が使った物（遺物）から、当時の生活や文化を明らかにする。つまり歴史学あるいは人類学に含まれる学問である。特に文字がない時代においては、人々の歴史を具体的に復元できる唯一の学問である。文献が残る時代においても、考古学を組みあわせることによって、より客観的、実証的に歴史を復元することができる。

従って、研究の範囲や時代は地球全体に広がるうえ、現代に近い過去も研究の対象しなり得る。[注1] 日本では 1990 年代前半、緊急の発掘調査（土地の開発に伴って発見される遺跡を、その工事によって遺跡が無くなる前に事前に調査する）が急増した。遺跡は現在進行形で増え続けていくのである。

考古学は、私たちが暮らす社会、地域と密着した学問である一方、一般の人々から「巨大建造物の謎に挑む」、「ロマンがある」などの感想をしばしば聞く。考古学はどこか浮世離れしているようにとらえられる側面がある。映画に登場する考古学者は冒険者、探検者として描かれる。日本人が行ってみたい世界遺産ベスト 3 には、エジプト・ギザのピラミッドやペルーのマチュピチュが入るのもやはり同じような背景があるのだろう。

櫻井準也は、マンガなどポップカルチャーに登場する考古学者を取り上げ、一般の人々が考古学をどのようにとらえてきたか、つまり社会と考古学の関係を明らかにする研究を行っている。[注2] その中で櫻井は、考古学とポピュラー・カルチャーの関係に注目したクリストファー・ホルトフの分析、たとえば「大衆は考古学的事実に関する知識ではなく、考古学に対する特定のイメージや事物に基づいて自ら考古学イメージを作り上げ、既

にあるイメージから大衆は逃れられない」を紹介し、考古学と現代社会の中に大きな溝があることを指摘している。[注3)]

「ヘリテージマネジメント」あるいは「文化遺産経営」において、これからの考古学が求められている役割は、この溝を埋める理論と方法論を構築していくことである。本稿では、考古学と埋蔵文化財、パブリック・アーケオロジー、そしてフィールドミュージアム・マネジメントの3つの視点からその分析と提案を行う。

2 考古学と埋蔵文化財

戦後まもなく日本で初めて本格的な弥生時代の農耕遺跡として調査された登呂遺跡は、1952年、特別史跡に指定された。復元された住居址や水田跡の遺跡と併設された博物館は、2018年の文化財保護法の改定（2019年施行）によって、文化財の保護と活用の均衡を図る方向にシフトした。

この間の史跡等整備にかかる国庫補助事業の変遷をみると、1966年から1994年まで実施した「風土記の丘」事業は、社会的な要請を踏まえ、史跡を中心に古墳、城跡等が集中的に所在する地域の広域的な整備・活用・保存を図るとともに、国民が歴史や伝統文化に親しむ場として公開・活用を推進することを目的として始まった。[注4)] そして、2005年の改正文化財保護法施行の前後期間、史跡等活用特別事業「ふるさと歴史の広場事業」（1989～2002年）、地域中核史跡等整備特別事業（1993～1996年）、地域拠点史跡等総合整備事業「歴史ロマン再生事業」など「総合的な整備と活用」にむけて多様な史跡等整備事業が行われる。その背景には、地方分権や観光立国宣言、新自由主義政策の導入など今につながる政策があった。

多くの歴史系や考古系の博物館にも費用対効果が求められ、入場者数がその評価の基準となったことから、各館が従来の講演会だけではなく、考古学資料を通した学習や体験利用、さらには観光客の誘致によって入場者を増やす努力など、その課題解決に努力している。

そして2019年に施行された改正文化財保護法は、埋蔵文化財行政にも大きな影響を与えた。たとえば「埋蔵文化財担当者等講習会」の資料を見ると、近年の社会情勢（少子高齢化、過疎化・地域経済の停滞、災害の頻発、外国人旅行者の増加）を踏まえた「地域の文化財の総合的な保存活用」のもと、埋蔵文化財の保護と活用にかかる人材の育成に力点を置いている。

埋蔵文化財は、文化財保護法のもと考古学によって発掘調査・発見された遺跡、遺構、遺物のことであるが、その取り扱いは他の文化財とは異なり、一部を除いて記録保存という形がとられる。ビルの建設や道路鉄道などのインフラ工事などに伴う事前発掘調査で発見された遺物は回収されるが、遺構つまり住居や墓などの構造物は遺跡から切り離せないことから、多くが工事のために破壊される。これを写真や図などの考古学研究の手法をもとに調査記録で残す方法が記録保存である。

ちなみに、工事などに伴う埋蔵文化財の調査は、2019年度には全国で8569件に及んだが、適切に保護される遺跡はわずかであり、多くは調査周辺の住民も知ることもなくいつのまにかなくなっているのが現状である。もちろん出土した遺物は保管されるが、博物館などでの公開、そして活用という面からはほんの一部でしかない。記録保存されたものは発掘調査報告書として出版され、学術としての考古学研究に寄与するのみである。

一方、新しい改正文化財保護法のもとでは、地域住民と緊密に連携しながら文化財を総合的に把握し、地域一体で計画的に保存活用に取り組んでいく知識・技術をもつ文化財専門職員の育成がうたわれた。地方自治体の埋蔵文化財調査担当者数は発掘調査件数などと並行して変化しているが、過去最も多かった2000年には都道府県、市町村合わせて7111人がいた。この人的資源をいかに活用するかが今後の大きな課題になる。[注5)] 地域のいつも傍にある考古資料を用いた地域研究、資料の多様な視点からの活用、ならではのストーリーづくり、専門職員と地域住民との協働を通した課題解決、そして「国民の共有財産」を守るという意識の醸成が急務とする。[注6)]

これは埋蔵文化財（考古学の遺跡・遺物）を文化遺産としてマネジメン

トすることに他ならない。

このように埋蔵文化財が地域づくりと密着であればあるほど、考古学を専門とする人材の育成のありようについても再考するべきだろう。考古学の専門的な知識と技術を学ぶ大学の現状のカリキュラム、あるいは博物館学芸員資格取得の科目に加えて、社会の課題解決に向けた政策研究や実践的研究を含めた政策科学に基づく科目等も必要である。新しい人材には、地域づくりを目指す文化遺産マネジメントが欠かせない時代のなかで、多分野を横断するカリキュラムの再編も急務となってくる。

3 「パブリック・アーケオロジー」と「フィールドミュージアム」の登場

松田陽は、パブリック・アーケオロジーを「考古学と現代社会の関係を研究し、その成果に基づいて両者の関係を実践を通して改善する試み」と定義している。[注7] もともとは1970年代の米国において、開発による遺跡破壊が進むことを市民のレベルから防ぐことをその目的の一つとしている。また、英国では地域社会との関係、地域社会考古学としての理論と実践研究が進む。[注8] 日本でも近年「アートと考古学」のコラボレーションによって、文化遺産の新たな価値を発信する活動も行われている。

筆者が実践的地域研究をすすめる中米カリブ海地域は、各国の政治体制、経済状態の違いを背景として、先住民問題や環境問題などが複雑に絡み合う地域である。この中、先住民文化が残した遺産を保存・修復し観光に活用する動きがある。地域への経済効果も高い。一方、観光映えする遺跡がない地域は先住民文化に関する意識も低い。

こうした地域では、地域住民への文化遺産に対する教育から、地域全体の多様な価値を研究者自らが住民と一体となって再発見していく中で、持続可能な「開発」と「遺産保全」を行うマネジメントが必要となる。近年、注目しているのがフィールドミュージアムである。

地域を博物館とみたてて地域のさまざまな資産が活用され、住みやすいまちが継続している地域をさす。諸橋博熊の博物館経営論の定義を発展的に解釈して、[注9] 筆者は「フィールドミュージアムとしての地域資源を発見し、組み合わせ、環境やニーズに適応し、その地域を訪れる人々の満足を創出し、地域の人々が暮らしやすく心豊かで持続可能な地域社会を構築することを目的とする科学がフィールドミュージアム・マネジメントである」と定義する。

地域を博物館と見立ててマネジメントする実践的地域研究の方法は、博物館と考古学を両輪とする文化遺産経営にもつながる。このためには、地域住民が主体となること、地域価値を研究者も一体となって発見していくことが不可欠であり、これを持続していくために行政や大学、NPO、地域の企業などがフラットに協働していく仕組みを作る。山下祐介は「つながっている世界を切り取ることから地域は現れる」として、地域の「境界性」「文化性・歴史性」「統一性・総合性」を挙げ、「足もとを知ることが地域を知ることになる」と地域の範囲について言及した。[注10] すなわち、地域住民が自ら地域の歴史や文化、遺跡やさまざまな文化遺産について正しく理解していくことこそ、地域の持続性につながる、と言い換えることができる。住民自身から生み出される地域＝フィールドミュージアムの多様性は、「金太郎あめ」的な同じ顔しかみえない地域とは異なる地域の独自性を発揮できるのではないか。

自らが定める地域に眠る遺跡・遺物を文化遺産として保護活用していくためには、 地域住民が「主体的に学ぶ、守る、活用する」仕組みを作ることの重要性を改めて指摘したい。

4 これからの考古学

文化遺産の活用を考えるとき、考古学の遺跡や遺物の学術的な価値を地域社会の課題解決に結び付けることは重要な方法である。しかし遺跡や遺物は当時の社会のなかで機能していたので、社会を治めるシステム（ガバナンス）の中での価値を正しく評価する必要がある。その時代や社会と現代社会は大きな隔たりがあり、現代の視点からみたヘリテージマネジメントのありようを危惧している。現在、私たちが見る遺跡は、当時の空間から切り離されたものであることを忘れてはならない。つまり、良し悪しは別として、政策を作る側が、都合の良いところだけをつまみ上げている可能性を常に意識しておく必要がある。考古学は、当時の社会や文化の中で遺跡＝人々が暮らしていた空間＝が「彼らの地域」としてどのように「切り離され」マネジメントされていたのか、を明らかにしなければならない。

文化遺産を観光に生かすという、地域経済活性化のカンフル剤のようなマネジメントにも同様の危惧を感じる。新型コロナウイルスの世界的感染拡大の以前から、観光に関して、オーバーツーリズム、マスツーリズムの弊害が叫ばれていた。観光は地域の生活文化を破壊する恐れもある。このような観光のありかたに対して、持続可能な観光を目指す観光倫理学からの研究に注目したい。原一樹は「持続可能な観光開発に関わる責任を消費主体として観光客だけに帰してしまうと事態の本質を見損なう」と指摘する。また、観光公害にかかる責任の一端は地元やマスメディアにあるともいう。考古学もその責任の一端を自覚し、地元、地域住民と協働し主体的な取り組みが必要である。

最後に、考古学と、地域振興やまちづくり等のありようを考える政策科学との関係を考えてみたい。

1つには考古学も政策科学も学際的であり、多彩な学問を利用して発展してきた。この点では共通する。2つには考古学のただ一つオリジナルな方法は発掘調査である。ここから得られたデータをさまざまな分野と協働して分析・解釈する独自の方法論を作ってきた。対して政策科学はフィールドワークを基礎として実践的な地域研究を試みてきた。フィールドワーク重視の点において、考古学と政策科学は相通じるところがある。

パブリック・アーケオロジーとフィールドミュージアム・マネジメントを通して考古学と政策科学は通底すると考えると、考古学は、第2章1節に登場した政策科学とともに、同じ地平線を目指していくことができると考える。

注

1) たとえば、太平洋戦争にかかる戦争遺跡もまた近年注目されている。
2) 櫻井準也『考古学とポピュラー・カルチャー』同成社、2014 年など。
3) 近年、マンガを通して考古学の成果を社会へ還元する、あるいは普及する取り組みが増えている。
4) 最終的に「風土記の丘」は 13 ヶ所設置された。
5) 文化庁は「埋蔵文化財専門職員等を対象とした文化財マネジメント職員養成研修」などを実施している。
6) 統計データは、文化庁文化財第二課『埋蔵文化財関係統計資料－令和 2 年度－』2021 年による。
7) 松田陽・岡村勝行『入門パブリック・アーケオロジー』、同成社、2012 年。
8) 岡村勝行「現代考古学のコミュニケーション：日本版パブリック・アーケオロジーの模索」『Link：地域・大学・文化：神戸大学大学院人文学研究科地域連携センター年報』6、2014 年、10 ～ 19 頁。
9) 諸橋博熊『博物館経営論』、信山社、1997 年、62 頁。
10) 山下祐介『地域学入門』、ちくま書店、2021 年、13 ～ 14 頁。

2-3 リノベーションから考えるヘリテージの設計論

高岡 伸一

1 スクラップアンドビルドからストックの活用へ

日本の建築設計の領域において、リノベーションという言葉はすっかり定着したように思われる。この単語に専門的な意味で厳密な定義があるわけではないが、一般には既存の建築物を改変するための設計と施工を指し、単なる改修やリフォームとは区別される。ストックの建築自体に積極的な価値を見出し、その再生を図ろうとする点に特徴があるといえるだろう。その背景には、20世紀後半のスクラップアンドビルドに対する強い問題意識がある。戦後日本は圧倒的な住宅不足を解消するため、早期に大量の住宅建築を建設する必要があった。そして高度経済成長期に入ると都市部は高密化・高層化の一途を辿り、郊外はスプロール化していった。住宅建築をはじめ、一般に日本の建築物の寿命は欧米のそれと比べて短く、新築ではないという理由だけで、「中古」として低い評価で取り扱われる。しかし世界規模で環境問題が悪化するなか、国内では人口減少と高齢化が進行して空き家の増加が大きな問題となっている。長期に渡る経済の低迷を背景にして、従来の新築志向から、ストックの活用へと転じる動きが強くなるのは当然だろう。そのときに求められるストック活用とは、古い建物を我慢しながら使い続ける消極的なものではなく、古い建築に新たな価値を見出す、積極的な設計思想によるものであるはずだ。

日本では、1998年から住宅分野を中心にリノベーションという言葉が使われ始め、今では建築設計のなかで確たる一分野を確立したようにみえる。実際、これまで新築が独占していた建築系専門誌の誌面には、リノベーションされた建築が建築家の作品として日常的に掲載されるようになり、大学の建築教育の現場においても、意欲のある学生ほどリノベーションに関心を示す傾向がみてとれる。それは「今あるものを長く大切に使う」という現代人の備えるべき価値観が、専門分野においても基本的な認識となっているということの現れでもあろう。

2 全ての設計はリノベーション

リノベーションの定着は、我々が常識的に考えてきた建築設計の理念自体に揺さぶりをかける。従来、建築設計とは即ち「新築」であった。もちろん改修やメンテナンスなども設計業務の対象ではあったが、それはあくまで付随的なものであって、新築設計こそが建築家、あるいは建築士の職能の中心であり、建築にまつわるあらゆる仕組みは新築を前提に構築されてきた。戦後の1950年に制定された建築基準法は新築を前提とした法体系であり、専門家を育成する大学の建築教育もまた、新築設計を念頭にカリキュラムが形成されてきた。その常識が21世紀以降のリノベーションの浸透によって、変容しつつあるように思われる。例えば花田佳明はリノベーションを主題としてまとめられた、おそらく日本で最初の教科書である『リノベーションの教科書－企画・デザイン・プロジェクト－』[注1)]の冒頭で、「全て（の設計）はリノベーション」であると説き、建築の初学者に向けて設計に対する認識の拡張を求めている。つまり「環境に対するあらゆる人工的な働きかけはリノベーションだ」という考えに立てば、新築もまた、「現在の状況に対する『人工的な働きかけ』の比率が限りなく大きなリノベーションだと考えることができ」、「『新築』と『リノベーション』を同じひとつの地平で論じることができるようになる」。「新築」も「改修」も、更には「解体」までも、ある既存の環境（ビルト・エンバイロメント）に対して、誰がどのタイミングで、どのように介入するかの違いでしかなくなる。それは陸上競技に喩えれば、従来の新築思考が、ゼロからスタートして竣工というゴールを目指す単独走者の短距離走だとすれば、リノベーションは、延々と続くゴールの見えない駅伝のようなもので、誰がどの区間を担当するのか、その建築への関わり方は、走る距離や地形の違い次第ということになる。リノベーションから導かれる設計思想は、設計者の職能として、建築のライフサイクル、「建築の時間」を併走することを要請する。それはマネジメントに関わることでもあるはずだ。

3 保存か解体かの二項対立からの脱却

その間、ヘリテージマネジメントの重要な主題たる文化財保存に対する考え方も、大きく変わってきた。例えばユネスコの世界遺産（文化遺産）の評価基準を巡っては、遺跡や教会、宮殿といった歴史遺構から、その対象が近代以降のいわゆるモダニズム建築へと広がりを見せるなかで、現役で活用されている建築の遺産としての評価基準をどのように定めるのか議論が重ねられてきた。近代以降の建築はその多くが現役で使われており、竣工時から用途や様相が変わっているケースも少なくない。現用の建築には当然ながら現代の様々なニーズへの対応や、各種基準への適合が求められ、ほとんどの場合で改修が必要となる。そのなかから、遺産としての価値を損なわない範囲でのミニマム・インターベンション（最小限の介入）という考えに支えられた、リビング・ヘリテージという概念と、そのガイドラインが確立されてきた。また日本の文化財保護法もそのような世界的な議論を背景に、観光振興による地方の活性化推進といった社会要請もあって、2018年に従来の保存重視から、活用を積極的に促す内容へと大幅に改正された。

このような動向は、新築からストック活用へと転換を促したリノベーションの動きを、ちょうど反対側から捉え返すものといえる。新築からストック活用へ向かうベクトルと、文化財の保存から活用へというベクトルが、リノベーションという地平の上で交点を結ぶ。前述の論理を敷衍するならば、全ての文化財保存もリノベーションということになる。そして同時に、全てのリノベーションは、なにがしかの文化財保存でもあるのだ。

とはいえ文化財保存の理想は、あくまで竣工当時の姿を完全に保持することである。しかしそれはリノベーションの全体でみれば、「新築」と同様、無限遠における極大（あるいは極小）値のようなもので、建築から時間を奪ってしまうという意味においては、完全保存も新築も同じ、正負の異なる双子のブラックホールのようなものといえる。実際のところ、ヘリテージマネジメントの領野が主な対象とすべきは、重要文化財よりは柔軟な活用が許容される登録有形文化財や、文化財にはなっていないがヘリテージとしての価値を持ちうる建築であろう。従来、日本における建築の文化財保存を巡る議論は、「保存か解体か」の二項対立でスタックすることが多く、また保存のあり方についても文化財保護の文脈で語られる限り、いわゆる外壁保存や部分保存、復元やイメージの継承といった設計手法は端から否定され、肯定的に検証されることは稀であった。そのあおりで建築設計理論には、完全保存でも解体でもない、その間に広がる「時間」を内包したヘリテージの設計論が大きく抜け落ちている。リノベーションの考え方は、その打開に向けた方向性を示している。

4 建築からエリアのリノベーションへ

さらにリノベーションの考え方は、まちづくりや都市再生の取り組みと親和性が高い。既存の建築に価値を見出し再生を図るリノベーションという設計行為は、既存の地域に可能性を見出し、そこに介入して再生を図ろうとする地域活性化の考え方と相似形だからである。実際、リノベーションを得意とする建築家や不動産の専門家が、都市部の既成市街地や地方の衰退した商店街などをフィールドにして、建築ストックやオープンスペースのリノベーションにより「エリアリノベーション」で成果をあげている。その手法は、都心の大規模再開発や、再・再開発といった新築事業と対照的だ。そもそもリノベーションが対象とする建築は、小規模なオフィスビルや商業施設、倉庫などが多く、単体のリノベーションだけではエリアにインパクトを与えることは難しい。従って複数のリノベーションを手がけて線で結び、面的に波及効果を及ぼすことで、エリアの価値を漸進的に上げていくことが目指される。リノベーションという設計行為が直接の対象とする建築だけでなく、その建築が立地するエリアをもリノベートするものであるならば、その取り組みは、本書がヘリテージマネジメントの役割に掲げる、「地域の今日的課題の解決に貢献すること」に他ならない。

5 変化のためのヘリテージマネジメント

これまで「リノベーション」をキーワードに、建築設計論の拡張について述べてきた。全ての建築設計はリノベーションであるとの前提に立つことで、設計者は自身の役割を、（新築も含めて）建築のライフサイクル全体の連続的な変化の部分として捉えることが可能となり、文化財保存の妥協ではない、変化をマネジメントするヘリテージの設計論を準備する。それは敷地境界線を越えて、エリアのリノベーションをもたらすはずだ。しかし抽象的な認識の拡張だけでは、「何でもあり」の相対主義に陥りかねない。ここで改めて考えるべきは、相対化された認識のもとで、それでもなおヘリテージを設計する際に保全すべきものは何かということだろう。

しかし答えは簡単ではない。前述の20世紀のモダニズム建築を対象としたリビング・ヘリテージを巡る議論においては、改変を許容するためのガイドラインを示した「マドリッド・ドキュメント」（2011年）が採択された。そこでは事前に遺産の包括的な歴史調査や、意義ならびに重要性に関する分析を踏まえた保存計画を準備し、いかなる建築的な介入を行うよりも前に、変更の許容範囲を定めたガイドラインを確立しなければならないとある。その分析項目は多岐に渡り、極めて厳格な「文化財保存」のための基準となっていて、ヘリテージの設計を広く普及させるために適用するには、とても手に負えるものではないというのが率直な印象だ。

そこには建築保存の理念と、建築設計の実践の間の乖離が見てとれる。マドリッド・ドキュメントが端的に示すように、改変を許容する場合であっても、保存はまず「何を守るか？」から始まるが、実際の設計は「何を変えるか？」からしか始まらない。新築でも改修であっても、現状を変更したいから設計が要請されるのであって、純粋な文化財保存の場合を除いては、「変えない」ことを目的として建築設計が始まることはない。全ての設計はリノベーションで、リノベーションとは環境に対するあらゆる人工的な働きかけなのだ。

ヘリテージの設計をリノベーションと捉え、保存の側からではなく、変化の相において考えること。「時間」とは即ち、変化のことに他ならない。まず何のために改変するのかその目的を明確にし、それを実現するための改変の範囲と内容を計画する。ここまでは通常の設計のルートと同じだ。そしてその後に、その改変がヘリテージとしての価値にどの程度の影響を与えるのか評価を試みる。一般的には改変の度合いは小さく限定的であることが望ましいが、小さいからといってその影響も少ないとは限らない。その評価は意匠や空間、素材や景観といった建築設計が直接の対象とするタンジブルな範囲に留まらず、歴史的価値や地域資源としての価値、また所有者や利用者の個人的な記憶といった、あらゆるインタンジブルな範囲にも及ぶ。その評価は設計者単独で下せるものでは勿論ない。建築史家や郷土史家といった歴史の専門家や、地域のこれからを考える地元の人々や行政、所有者や利用者などの当事者は勿論のこと、更にはその建築に関心をもつ市民や愛好者まで、様々な段階の幅広い関係者からの評価が想定されるべきだろうが、それは十全なヘリテージマネジメントが確立され、建築設計者もそこにコミットしていて初めて可能なことだろう。

建築設計の立場からヘリテージマネジメントを考えると、それは保存のためのマネジメントではなく、変化を適切に管理するためのマネジメントと捉えられる。日本に「リノベーション」が登場してから約四半世紀、数多くの優れた実践が積み上げられてきたが、未だその設計論は確立されていない。これをヘリテージの設計をも包含したものとするために、まずこれまでの実例をヘリテージの観点から改めて評価すること、特にリノベーションされた各事例が現在どのような状況にあるか、そこに至るまでにどのようなマネジメントがあったのか、あるいはなかったのかを、検証することが必要である。

注

1) 花田佳明「リノベーションという論理」『リノベーションの教科書―企画・デザイン・プロジェクト―』学芸出版社、2018年、10～18頁。

2-4　文化遺産活用をめぐる法的整備

朝倉 由希・信藤 勇一・高島 知佐子

1 文化財保護法

文化遺産の活用を考える際、「文化財保護法」の理解は欠かせない。まず、「文化遺産」と「文化財」という言葉について確認しておきたい。文化遺産とは、文化財に指定されているか否かを問わず、人類の文化的活動によって生み出された有形・無形の所産を幅広く指す言葉である。文化財は、広義には文化遺産と同じ意味であるが、狭義には文化財保護法や各自治体の文化財保護条例で指定された文化財を指す。通常、文化財と言った場合、狭義の指定文化財を指している場合が多いが、実際は文化財に指定されていなくても歴史的に高い価値を有し、地域社会にとって重要な遺産とみなされるものも多い。未指定文化財は特段の保護措置もなく、多くが滅失の危機にある。指定・未指定を問わず文化財を幅広く捉えて、文化遺産として地域で守り育てていく仕組みが重要になっている。近年、地域における文化財を総合的に把握し活用することが推奨され、それを推し進める法改正もなされたが、そのような仕組みを目指す動きとして位置付けられよう。

文化財保護法は1950年、法隆寺金堂壁画焼損（1949年）を契機として、議員立法により成立した。戦前の国宝保存法、史蹟名勝天然紀念物保存法は廃止され、それらが対象としていた範囲を統合するとともに、新たに無形文化財、埋蔵文化財、民俗資料を対象に加え拡充している。その後社会情勢の変化にあわせて改正を繰り返し、文化財の種類は広がってきた。現在、有形文化財、無形文化財、民俗文化財、記念物、伝統的建造物群、文化的景観の6類型に分類されており、重要なものを重要文化財等に指定し、重点的に保護している。

文化財保護法は、芸術上、学術上価値の高いものを指定する、優品主義を旨としてきた。つまり、専門家による価値づけで、トップダウンで指定してきた。そのことが、優れた文化財を保存するために重要な役割を果たしてきたことは確かである。しかし、これまでの文化財保護行政には、いくつかの課題が指摘されてきた。1点目に、文化財の保存に重きが置かれ、その価値を広く普及・公開する取り組みは十分ではなかったことである。そのため、住民の意識とは乖離し、文化財保護の必要性が疑問視されることもあった。2点目に、価値付けが明確ではない未指定文化財の把握は不十分で、地域にとって重要であっても消失が進んでいることである。3点目に、文化財は地域がたどってきた歴史文化に基づき相互に関連性を持っているはずであるが、類型ごとに個々の文化財が指定・保護されており、関連性は意識されてこなかったことである。

このような課題認識のもと、文化財を歴史文化に基づくまとまりとして、総合的にとらえようとする、いわば点から面へという動きが2000年代に入って模索されてきた。もっとも、これまでも文化財保護法の改正による文化財類型の拡大は、点から面へという動きであった。1975年の改正で追加された伝統的建造物群は、伝統的な建造物が群れをなして、周辺環境とともに価値を形成している街並みや集落を対象とする。また、2004年の改正で追加された文化的景観は、風土と生活・生業といった人の営みの相互関係で形成されてきた景観が対象であり、面的な広がりを持つ。この両者は、そこに住民の暮らしが息づいていることが前提であり、保護にあたっては地域の主体性が重要であることから、「指定」ではなく、自治体の申し出に基づく「選定」というボトムアップの仕組みとなっている。

文化財の総合的把握について、文化庁は2008～2010年にかけ、「地域に存在する文化財を、指定・未指定にかかわらず幅広く捉えて、的確に把握し、文化財をその周辺環境まで含めて、総合的に保存・活用するための構想（歴史文化基本構想）」を、モデル事業として複数の自治体に策定させた。これを経て2012年に「歴史文化基本構想策定技術指針」をとりまとめて自治体に働きかけ、歴史文化基本構想の策定数は増加していった。

2018年、文化財保護法の大きな改正がなされた。この改正では、市町村が文化財保存活用地域計画を作成できることとなった。これは歴史文化基本構想を法律に位置付け、実効性を持たせたものであり、未指定を含めた多様な文化財を把握した上で、総合的に文化財の保存・活用を進めていくための枠組みである。この改正について、研究者からは、文化財の観光活用を推し進めるものであり、過度の活用は文化財の滅失を招きかねないと危惧する声も聞かれるが、地域社会総がかりで文化財の継承に取り組んでいく体制づくりを目指すことが改正の趣旨である。文化財行政の権限の多くを国から地方自治体に移譲し、地域が自らの計画のもと主体的に文化財の保存・活用を進め、より柔軟に文化財を地域振興等に活かせるようにすることが今回の改正の狙いのひとつであり、本章の第1節にあるように、自治体内では文化財部署だけではなく総合的な政策として取り組み、行政と民間が協働して様々な分野の関係者が地域社会と文化財の循環的なあり方を考えていくことが必要である。

歴史まちづくり法（正式名称「地域における歴史的風致の維持及び向上に関する法律」）にも触れておきたい。2008年に文部科学省（文化庁）、国土交通省、農林水産省の共管でできた法律で、「歴史的風致」を「地域におけるその固有の歴史及び伝統を反映した人々の活動とその活動が行われる歴史上価値の高い建造物及びその周辺の市街地とが一体となって形成してきた良好な市街地の環境」として、歴史や伝統を反映した人々の営みというソフトと、歴史的な建造物や周辺市街地といったハードの両面を一体的に捉える。歴史まちづくりを進める市町村が「歴史的風致維持向上計画」を作成し、国が認定すると、様々な特別の措置や支援を受けることができる。「歴史的風致維持向上計画」の作成は、文化財を核にその周辺における取組を盛り込むことが必要であり、地域に存在する文化財を調査等により的確に把握し、文化財を周辺環境まで含めて総合的に保存・活用するための基本的な構想を踏まえた計画とすることが望ましいとされている。この基本的な構想こそが、歴史文化基本構想や地域計画にあたる。（朝倉由希）

2 建築基準法

(1) 戦前の建築物[注1)]

建築基準法（1950年制定）では、既存建築物を増改築・用途変更等をする場合は、原則として現行基準に適合させる必要があるが、建築基準法制定前に建築された建築物の多くは、建築基準法の前身となる法律の市街地建築物法（1919年制定）が適用されていたようだ。建築基準法第3条第2項には「この法律の規程の施行または適用の際、現に存する建築物がこれらの規程に適合せず、またはこれらの規程に適合しない部分を有する場合においては、当該建築物に対しては、当該規定は適用しない」とあり、戦前の建築物が現行法令などに適合していなくても使用することが可能である。ただし、建築基準法第3条第3項には、増改築や大規模な修繕について「工事の着手がこの法律の施行または適用の後である増改築にかかる建築物は、第2項の規定は適用しない」とあり、基本的な考え方は、現行法令の基準が適用されることになる。つまり、戦前の建築物を増改築するには、現行法規に合わせるか、建築確認申請を必要としない修繕程度にとどめるかが一般的な選択肢となる。

(2) 国宝・重要文化財等の指定建築物、重要美術品等の認定建築物[注2)]

建築基準法第3条第1項第1号に規定する「国宝、重要文化財、重要有形民俗文化財、特別史跡名勝天然記念物として指定され、又は仮指定された建築物」と、第2号に規定する「重要美術品等として認定された建築物」については、自動的に建築基準法の適用が除外される。

(3) 歴史的価値の高い建築物（建築基準法第3条第1項第3号）[注3)]

上述する文化財の指定、認定等を受けていない建築物においては、一般建築物と同じ扱いを受けることになるが、歴史的価値を損うことなく現行基準に適合させるための改修や活用が難しい状況にある場合がある。建築基準法第3条第1項第3号では「条例の定めるところにより現状変更の規制および保存のための措置が講じられている建築物であって、特定行政庁が建築審査会の同意を得て指定したもの」も建築基準法の適用外としている。つまり、歴史的価値が高い建築物であれば、地方自治体の歴史的建築物に指定された後に、建築審査会の同意を得て建築基準法の適用外となる。また、建築基準法が除外されたとしても、建築基準法以外の法令（消防法等）の適用が除外されたことにはならないことを理解すべきである。適用除外は、文化遺産の特殊性を考慮するもので、必ずしも安全・防火・衛生上等の観点から支障がないと認めるものではないことも忘れてはならない。

その他、景観重要建造物である建築物に対する制限の緩和（第85条の2)、伝統的建造物群保存地区内の制限の緩和（第85条の3）では、外観などのすぐれた建築物を保全するため景観によって指定された建造物に対して、制限を緩和している。

(4) 歴史的建築物の活用に向けた条例整備ガイドライン

以上、建築基準法第3条第1項第3号では、指定文化財ではない歴史的建築物でも「その他の条例」を整備することにより適用除外を受けることが可能となった。しかし現時点では、当該条例が限られた地方公共団体でしか制定されていないことから、条例を制定していない地方公共団体における条例の制定や条例制定後の活用を促進することを目的として、国土交通省は2018年3月に「歴史的建築物の活用に向けた条例整備ガイドライン」（以下「国ガイドライン」）を作成している。「国ガイドライン」は、条例制定から活用までの流れ、条例の制定時や保存活用計画の作成時の留意事項、代替措置、包括同意基準、支援措置等で構成されている。しかしながら「適用除外」は、決して安全を軽視しているものではなく、建築基準法の適用とは別にハード以外のソフトによる対応、人による対応の安全の確保、管理者の責任意識が重要であると述べられている。[注4)]

(5) 200㎡以下の用途変更の確認申請は不要（建築基準法第6条）

建築基準法では、既存建築物の使用目的を変えることを「用途変更」と規定している。変更後の用途に応じた規制内容に適合しなければならない。2019年6月25日に改正建築基準法が施行され、第6条の改正で、床面積が200㎡（改正前は100㎡）を超えなければ、用途が変わる用途変更の確認申請は不要（申請が不要となっても建築基準法への適合は必要）となり、200㎡未満の小規模建物や新築でも申請期間が短くなるというメリットがある。また、200㎡以下の町家、住宅規模の空き家についての用途変更が容易になり、保存・活用やコンバージョンへの動きが増すことが期待できる。（信藤勇一）

3 文化遺産（ヘリテージ）と税制

(1) 所有に伴う税の問題

個人が何らかの文化遺産を所有している場合、その維持・管理にかかる費用の程度が問題となる。費用とは、修繕費等と税金の2つに分けられる。ここでは後者に焦点を当てる。

国に指定された文化財を個人が所有している場合、相続税が負担になることがある。相続時の文化財評価額で相続税が課されることから、相続税は莫大になることが多く、支払えない場合は文化財を売らざるを得ない。これは文化財の海外流出等にもつながるため、2018年の文化財保護法の改正において、文化財を美術館等に寄託、公開した場合には、特例で相続税の納税が猶予されるようになった。しかし、ある程度の市場価値はあるが文化財に指定されておらず、美術館等での公開も難しい場合は、相続税を支払わなければならない。

相続税以外には固定資産税、都市計画税がある。立地のよい場所に、自身の住居とは別に土地と建造物を持っている場合、高額な固定資産税、都市計画税の支払いが負担になり、売却やマンションへの建て替えなどの対応が取られる。過疎地等に所有している場合は売却が難しく、空き家のまま放置されることも少なくない。

土地に住宅が建っていれば、「住宅用地の特例」によって固定資産税と都市計画税は軽減される。[注5)] しかし、2015年の空家等対策の推進に関する特別措置法の施行により、空き家が放置され、近隣の住宅への悪影響が懸念される場合には「特定空家等」に指定され、固定資産税等の軽減措置は適用されなくなった。「平成30年住宅・土地統計調査」によると全国の空き家数は過去最多の848万9千戸で、全国の住宅の13.6%を占めている。市場の不動産価値が高くない地域の土地や建造物は、売却できず、定期的な管理も求められ、所有者には費用以外の負担も大きい。

(2) 費用負担を軽減する取り組み

所有をめぐる税負担は、個人所有せず活用することで軽減することができる。複数の土地や建造物、美術品等を持つ場合は、公益法人(公益財団法人、公益社団法人)を設立し、法人で管理、活用する方策を取る人もいる。例えば、個人の邸宅などが博物館として公益法人で運営されている場合がこれに当たる。個人所有の資産を個人が相続すると莫大な相続税が発生し、資産を現金化しなければならない。そこで、公益法人を設立後、公益法人に資産を寄贈し、公益法人で資産を公益的な活動に生かす。公益法人制度では、公益法人への資産の寄贈は非課税になる。自身の資産の分散を防ぎ、個人の税負担を軽減しつつ活用することができる。

法人格別の課税と寄付税制は表1に示す通りである。個人や法人が公益法人に寄付する場合は、上限はあるが所得税控除や損金算入が認められている。収入の多い個人や法人ほど、寄付をすることで所得税や法人税の支払いを抑えられる。税金を国や自治体に収めるよりも、自身が支援したい活動に寄付することを望む人も多い。

公益法人で文化遺産を管理、運営する方法は、地域単位や地域を超えた複数の人々で取り組まれることもある。地域住民や関心を共有する人々で団体を設立し、上記のような方法を取ることで、地域の景観や自然環境等を損なわず維持することも可能になる。しかし、日本の公益法人制度は、第8章で示す英国の事例に比べて、自ら収益事業で稼ぐことにも企業や個人から寄付を得ることにもインセンティブが働きにくい。英国では、寄付額は上限なく所得税控除、損金算入でき、これが自助努力で資金調達できる仕組みにつながっている。日本の公益法人制度は英国の制度に倣って改

正されたものだが、税制優遇措置には課題が多い。(高島知佐子)

表　法人格別の税制優遇措置（優遇があるものは「あり」、ないものは「なし」と記載）

	公益財団・社団法人	一般財団・社団法人	認定・特例認定 NPO 法人	NPO 法人
収益事業への法人税課税	あり	非営利型：あり 非営利型以外：なし	あり	あり
利子・配当等への所得税課税	あり	なし	なし	なし
みなし寄付への課税（注）	あり	なし	認定：あり 例定認特：なし	なし

（注）みなし寄付とは、収益事業に属する資産から自らが行う収益事業以外の事業（公益事業）のために支出した金額を、収益事業からの寄付金とみなして、損金算入できる制度。

	公益財団・社団法人	一般財団・社団法人	認定・特例認定 NPO 法人	NPO 法人
法人の寄付金の損金算入（注）	あり	なし	あり	なし
個人の所得税控除（注）	あり	なし	あり	なし
個人財産の寄付に対する譲渡所得税非課税	あり	非営利型：あり 非営利型以外：なし	あり	あり
個人相続財産の寄付に対する相続税非課税	あり	なし	認定：あり 特例認定：なし	なし

（注）上限が定められている。
（出所）内閣府ホームページ「公益法人制度と NPO 法人制度の税制上の優遇措置の比較について」（https://www.cao.go.jp/others/koeki_npo/koeki_npo_zeisei.html、2021 年 10 月 31 日閲覧）より筆者作成。

注

1) 日経アーキテクチャア・ビューローベリタスジャパン『プロが読み解く増改築の法規入門』日経 BP、2021 年、164 頁。
2) 大阪府住宅まちづくり部建築指導室審査指導課『歴史的建築物の活用に向けた建築基準法第 3 条第 1 項第 3 号の適用に係る手続きマニュアル』2019 年 3 月。
3) 日経アーキテクチャア・ビューローベリタスジャパン『プロが読み解く増改築の法規入門』日経 BP、2021 年、165 頁。
4) 後藤治工学院大学理事長基調講演『建築士 2019/2』「歴史的建築物の活用による地方創生シンポジウム」、日本建築士会連合会、2018 年 10 月 6 日 7 日記事より抜粋。
5) 小規模住宅用地（200㎡以下の部分）の固定資産税は価格の 1/6、都市計画税は価格の 1/3 に軽減される。一般住宅用地（200m^2 を超える部分）の固定資産税は価格の 1/3、都市計画税は価格の 2/3 に軽減される。

第3章 歴史的建造物を地域の課題解決に活かす

3-1 市民主導の運動で洋館を保存・活用
—旧小熊邸と東田秀美

信藤 勇一

1 文化遺産をめぐる様々な動き

文化遺産をめぐる様々な動きの中で、ユネスコの世界遺産登録に向けて日本各地の自治体が名乗りを挙げている。また、2015年には文化庁の日本遺産認定制度が開始され、地域活性化のために積極的に遺産を活用する目的が示された。また景観の保存、産業遺産、軍事遺構、震災遺構、近代化遺産をめぐる活動も注目されている。そこで、歴史的建造物の保存と活用の担い手としてヘリテージマネジャーの活躍に注目が寄せられるが、このヘリテージマネジャーが活動する以前から成功した、旧小熊邸の市民活動による保存・活用の事例について探り、その意義を確認することとする。

2 市民活動による保存・活用の動向

文化財保護法では、市町村が作成・申請できる「文化財保存活用地域計画」において、地域の文化財所有者の相談に応じたり調査研究を行ったりする民間団体等を「文化財の保存・活用に取り組む民間の団体の事例」として指定できるが、その組織には「妻籠を愛する会」(長野県)、「古材文化の会」(京都府)、「高山市景観町並保存連合会」(岐阜県)等々がある。

また、保存活動としては、ドコモモ(DOCOMOMO)、全国町並み保存連盟、日本ナショナル・トラスト、住宅遺産トラスト、リビングヘリテージデザイン[注1]等々の組織による保存系活動が知られている。市民活動としての保存活動では、日本のナショナル・トラスト第1号の「鎌倉風致保存会」による鶴ヶ岡八幡宮裏山の買取りが知られている。住民たちの宅地造成計画反対運動で県知事や市長を巻き込み、実質的な計画中止を勝ちとった。[注2] また、鎌倉の運動を担った人々を中心に1970年に「全国歴史的風土保存連盟」が発足し、1974年には各地の町並み保存運動の連絡組織である「全国町並み保存連盟」が結成されている。町並み保存に先駆的に取り組んでいた旧中山道の宿場町妻籠（長野県）、東海道の宿場町では絞りで有名な有松（名古屋市）、江戸時代の町並みが残る中世環濠集落今井町（奈良県）が集まって作った組織である。[注3]

このような様々な市民活動が展開される中、市民活動で活躍した女性、北海道の東田秀美（とうだひでみ）と、蘇り継続活用される旧小熊邸を紹介する。

3 旧小熊邸と東田秀美

歴史的建造物の保存・活用に全国から相談が寄せられるのが北海道の東田秀美である。東田は、NPO法人旧小熊邸倶楽部理事長、NPO法人歴史的地域資産研究機構（れきけん）理事を務める。1927（昭和2）年建築の札幌市にある旧小熊邸を移築・復元した「ろいず珈琲旧小熊邸」をはじめ、数々の歴史的建造物を地域資産化する保存・活用プロデュースの活動家として知られている。

筆者と東田との出会いは、2019年9月21日の第62回建築士会全国大会「北海道大会」の歴史まちづくりセッション／第7回全国ヘリテージマネージャー大会での4名による事例報告の場である。この4名に混ざり、地域の関係団体との連携、行政・民間・市民と連携しながら歴史的建造物の保存・活用を行う重要性について語るスキルの高さに感動し、4名の男性の中心に座り発言する東田の姿がとても印象的であった（写真1）。

（1）旧小熊邸

1927（昭和2）年に建築された洋風建築物の旧小熊邸は、現在札幌市の藻岩山ロープウエイ横にあり、一時は解体が決定し、無くなりかけたが、市民の保存活動によって行政や企業も動き、残ることになった建築物であ

写真１　2019年９月21日第７回全国ヘリテージマネージャー大会での東田秀美（東田提供）

写真２　藻岩山ロープウエイ横に移築された旧小熊邸と東田秀美

る（写真2）。1997年の保存決定時の「ろいず珈琲館（ロイズコーヒーユニオン）」オーナーとの約束は20年で、2017年11月に閉店。現在は2018年4月より釣具等の販売店及びカフェとして運営されるようになっている（フライフィッシングショップ「ドリーバーデン」）。また、2001年には第10回札幌市都市景観賞を受賞するなど、その活動は高く評価されている。特筆すべきは、この取り組み自体が受賞理由にもなっていることである。注4）

旧小熊邸は、当初、北海道帝国大学（現在の北海道大学）の小熊捍（まもる）教授の自邸として建築家田上義也注5）の設計により建設された。建物外観は、深く張り出した軒、大きな亀甲窓、外壁の羽目板による水平性を強調した外観などのデザインにF.Lライトの影響が強く感じられる。平成に入り解体による消失を危惧する市民の存続・復元運動により、市民、行政、企業の連携によって、1998年に移築された。

市民活動は、旧小熊邸が北海道銀行初代頭取の住宅となり、北海道銀行が長く所有することとなり、建物の老朽化が進み維持費がかさむなかで、「旧小熊邸の保存を考える会」が1995年に発足したことから始まる。1997年に保存が決まり、保存決定の翌日、「旧小熊邸倶楽部」という任意団体ができた。倶楽部の活動は、移築に不可欠な復元図を描いたり、亀甲窓のステンドグラスや照明器具の復元や市民見学会や掃除を行ったり、実際に汗を流すこととなった。改修工事は、移築復元の監修者である北海道大学大学院工学研究科の角幸博教授（現・名誉教授）の研究室で、角教授と、札幌市役所景観担当、第三セクター（現・札幌市振興公社）、ろいず珈琲館（ロイズコーヒーユニオン）、内装業者、旧小熊邸倶楽部メンバーが協議しながら決めていった。その後、1999年に設立された「特定非営利活動法人旧小熊邸倶楽部」が、歴史的な建造物等の保全、再生、維持への支援、またはこれらに関する自主事業等を通し、主として札幌市の歴史を活かしたまちづくりに寄与することを目的とし、NPO法人化することとなった。

(2) 東田秀美の生い立ちとスキル[注6)]

1963年小樽市生まれの小樽育ち。中学は社会科部、高校は新聞局で局長である。建築の本に載るような味わいあるアパートに住んで、小学校も図書館も小児科医院も古い木造の洋館で、小学校の頃から建築が大好きであった。この環境での生活が、のちの歴史的建造物の保存・活用のプロデューサーへ大いに影響しているようである。

高校時代には、1970年代の小樽運河保存運動を目の当たりにしている。北海道大学院生の頑張っている姿や、小樽市民が大議論している姿にも接したことが、のちの保存運動の活動にも大きく影響している。この小樽運河保存運動では、赤ヘルメット、角棒、座り込み、拡声器…にも触れ、多感な高校生の東田は「これって市民の運動なのか…」という気持ちにもなったと言う。

小樽運河は南側が半分ほど埋め立てられ、歩道が整備され、道外資本がどっと入ってきて、それまでの空き倉庫が買われ、瞬く間に観光地化されていき、保存運動の中心の一部の人たちは「あれは小樽運河じゃない、負けた」と嘆いたようである。こういう経験からも、対立の構図ではなく、行政とちゃんと意見交換をし、市民エゴを抑えて、対話によるまちづくりのやり方を模索するようになっていった。

高校卒業後は「さっぽろ東急百貨店」に就職し、歴史的建造物保存市民運動のノウハウを身に付けていった。販売員として就職し、組合活動に参加する中で、年数回、東京へ研修に行き、日本商業労働組合連合会などのセミナーを受けるうちに、企業としての営利を追求しながら、組合活動という非営利活動ができることを知っていった。女性社員がモチベーションを高めて、接客態度や技術を向上させるにはどうしたらいいか、組織運営、意見交換、役割分担を学んだ。当時は、男女雇用機会均等法の施行直後で、大学総合職の女性社員と一緒にアメリカ帰りの講師から女性のリーダーセミナーを受講することもでき、10人に対して話す声の張り方、50人、100人、1000人とは違うといった実践的な内容で勉強することができた。配属先の家庭用品売り場では、当時は販売員が自分の判断で買い取りをして、ディスプレイし、返品も行っていた。イベント時にはイベント場所の図面化、内装業者への発注、見積もり、原価計算、人や物の回転率や人件費の割り出し方などを日常業務としていた。様々な経験が歴史的建造物の保存・活用の市民活動へのスキルアップに繋がっていったようだ。

1988年の出産退職で3年の専業主婦の後、新聞配達でお金をつくり、カルチャーセンターでインテリアコーディネーターの講座を受講し、図面が引け、見積もりもできるということで、28歳で講師となったが、インテリアより建築そのものやまちづくりが好きだと気づき、講師は辞めることとなった。そのとき、講座の生徒さんから旧小熊邸の保存活動の話をきくことになる。

(3) 保存運動の末席から「NPO法人旧小熊邸倶楽部理事長」へ[注7)]

東田は、1995年「旧小熊邸の保存を考える会」の発足時の一運営者（30人以上が名前を連ねる）から旧小熊邸の保存活動のリーダーとなり、再生活用のプロデュースを行うこととなる。当初、北海道大学の先生方や著名な文化人が名を連ねている末席にいたが、何も決まらない会議を重ねる中、ついに「はい、先生方！出しゃばってすみませんけど」とホワイトボードをガーッと引っ張ってきて、事務局はどこに置いて誰が担う？　保存活動のチラシや署名用紙の内容どうします？　いつオーナーに会いに行きますか？　と決めていったという。並行して保存のための署名運動も行っていったが、約6300人から署名をしていただき、北海道銀行（当時のオーナー）に持っていった。数を集めるだけの署名は嫌だったので意思表示を決めるアンケート（保存のためのアンケートタイプの署名活動）として選択肢のあるもので「東田さん、この署名用紙、重過ぎます」と総務部長に言われるも、役員会では「あの人たちは本気だから2年間待ってやってくれ」と説得いただけたと聞く。また地元新聞には「取り壊し反対」を声高に叫ぶ論調でなく、市民が現オーナーと一緒に「新オーナーを探しています」と書いてもらい、銀行OBからの激励をいただいたという。東田のこのバイタリティと活動のセンスにより旧小熊邸の保存が進んだと言えよう。

1997年9月5日、桂市長が「旧小熊邸の移築保存決定」を発表、札幌市長が異例の記者会見を行った。建物を北海道銀行が寄贈、三井ホーム（株）の協力を得る。移築先は中央区伏見5丁目、事業主体は（株）札幌交通開発公社（現・札幌振興公社）である。「旧小熊邸の保存を考える会」と「札幌建築鑑賞会」が、共同で協力提案書を提出した。この協力提案書により、市民が保存・活用のサポーターとなった。

保存が決まったら、今までの市民活動は終わりで、その後はオーナーが好きなようにやるのが普通のようだが、東田は再生活用を担いたいと申し出て、翌日には「旧小熊邸倶楽部」という任意団体をつくってしまった。再生活動は、①躯体関係チーム、②照明器具チーム、③絵ガラスと窓チーム、④市民への普及活動、⑤外構工事と公園計画チーム、⑥障害者への対応と、角教授、第3セクターの札幌振興公社、行政、ろいず珈琲館、内装業者、旧小熊邸倶楽部メンバーが「協働」という言葉も無い時代に、東田がその人たちをつないで、文化的価値を失わない活用ができた。その後、東田は1999年NPO法人旧小熊邸倶楽部を設立、理事長に就任した。

(4) 保存活動のその後の活躍

東田は、その他「NPO 法人景観ネットワーク理事」「NPO 法人ゆうらん副理事長」「NPO 法人北海道市民環境ネットワーク（きたネット）理事」など、多様な市民活動の中で、北海道内における地域資産の保存・活用に取り組み、市民が主体になる多様なまちづくり活動を展開している。

北海道内の学術研究者・専門家の能力をネットワーク化し、歴史的地域資産データの一元化、歴史的地域資産の調査・研究・評価、改修修復工事への助言や専門的判断、歴史的地域資産の施設管理運営など、まちづくりや地域づくり、学術・文化の発展・振興に寄与することを目的として、2012 年設立の「北海道／NPO 法人 歴史的地域資産研究機構（れきけん）」理事にも就任している。

4 浮かび上がった教訓

旧小熊邸の当初の建設場所は、現在は普通のマンションとなっていることを確認した。東田の市民活動がなければマンションが残り、旧小熊邸もなくなっていたことになるが、現在、札幌市の藻岩山ロープウエイ横で生き延びている。

建築士や建築を生業とする専門家のみが歴史的建造物に携わっているわけではないことが、東田による市民活動の手法として特筆すべき点であるが、市民と行政、企業が一体となって取り組んだ、稀な保存・活用の手法といえよう。保存・活用は、多様な職業や職能、学生等の参加において、より多様な価値を見出し、まちの中での歴史的建造物と活動そのものの価値を向上させ幅は広くなっていく。これは、建築士のみでは多様な価値を生むことは難しいことを意味する。また東田曰く、女性は上下の関係なく話し合いでコミュニケーションをつくる訓練ができている。いろいろな人が居ないと保存と活用はできない。社会的な活動は自分の利益ではなく、公益を考え、最終的にはよいことだと理解してもらう努力を惜しまないことと言う。歴史的建造物に関わる多様なステークホルダー(利害関係者)が、歴史的建造物の保存と活用、まちづくりに多様な価値をあたえ、本質的価値、多様な価値をつくりだしていると言えよう。さらには、将来に亘り歴史をつなぐ市民、そしてヘリテージマネジャーら[注8]の活躍と多様な職業や職能の連携で生じる価値を見守り続けるべきである。

注

1) 2021年10月1日「住宅遺産トラスト関西」から名称変更（代表理事：末村巧）。
2) 片桐新自『歴史的環境の社会学』新曜社、2000年、9～24頁。
3) 片桐新自『歴史的環境の社会学』新曜社、2000年、10頁。
4) 受賞名：「旧小熊邸とその周辺及び取り組み」、表彰理由：この実践は、豊かな生活環境の形成は、歴史遺産を保全・再生することによって、質の高い成熟した社会環境を作ることに他ならないという都市景観の在り方に、一定の指針を示したものといえる。
5) 田上義也（たのうえ よしや）：1889～1991年。建築家、大正から昭和にかけて北海道を拠点に活躍した。フランク・ロイド・ライトの帝国ホテル事務所に入所、小島余市棟梁とも出会う。北海道の気候風土に根差す洋風建築を数多く残している。
6) 東田秀美「歴史を活かしたまちづくり」2019年、プレゼンPPT。
7) 麓幸子「歴史的建造物の保存・活用をプロデュース。市民が主体となる多様なまちづくりを」『地方を変える女性たち』2018年、198～213頁。
8) 北海道では、建築士等技術的資格を有する者を対象とした「ヘリテージ・マネージャー」と、一般市町村民（どなたでも受講可）を加えた「ヘリテージ・コーディネーター」に分類して養成講座受講者を募集しており、特筆すべきは、養成を行う講師・専門家を「ヘリテージ・アドバイザー」と定義していることにある。この3つの異なる多様な組織構造が、歴史的な地域の資産に関わる担い手を育成して、地域、文化を繋いでいく構図と理解できる。まだまだ多様なこの構図は成長する気配を感じる。東田の周りには、多様な職業や職能が集まっているようである。

3-2　里山住民による元校舎の活用が健康づくりに
―尾県学校と協力会

森屋 雅幸

1 廃校の発生と利活用の状況

日本では近年、少子高齢化と人口減少に伴い、毎年500校前後の廃校が発生している。文部科学省は、2002年度から2017年度に発生した公立小中高校などの廃校数は7583校で、その内施設が現存しているのは6580校であり、この内4905校（約7割）の廃校が何らかの形で地域において活用されていると報告する。[注1)] また、別の報告では、廃校の保存・活用方策の検討を自治体等が主導する場合と、住民等から要望がある場合に大別しており[注2)]、廃校の保存・活用は、単に行政主導で行われているわけではなく、住民等の要望によっても取り組まれていることがわかる。

廃校の保存・活用をなぜ住民等が要望するのだろうか。それは、学校が単に教育の場としてだけでなく、災害時の避難場所であり、地域の交流拠点としての機能も有するなど、さまざまなコミュニティの拠点的機能をもつことから、学校は卒業生だけでなく住民にとっても愛着や親しみを抱く場所であると捉えられる。こうした住民の感情が校舎保存・活用の要望に少なからずつながっていると筆者は考察する。

ところで、文部科学省は、廃校の保存・活用の特色ある事例を選定した「廃校リニューアル50選」を2003年4月に公表した。[注3)] この事例の中では、国重要文化財の甲府市藤村記念館（旧睦沢学校・山梨県甲府市・1875年建築）、県有形文化財の三代校舎ふれあいの里（旧津金学校・山梨県北杜市・1875年建築）、国登録有形文化財の加茂青砂ふるさと学習施設（旧加茂青砂小学校・秋田県男鹿市・1928年建築）、国登録有形文化財の京都芸術センター（旧明倫小学校・京都府京都市・1931年建築）の4件が紹介されており、本書が取り扱う文化遺産（ヘリテージ）が含まれていることに気付かされる。このように全国で発生する廃校の中には、文化遺産としての学校校舎が含まれ、それらが行政だけでなく住民の要望によっても各地で特色のある保存・活用に取り組まれていることがわかる。本稿では、文化遺産としての学校校舎が、少子高齢化と人口減少が進む地域でいかに保存・活用され、地域に何をもたらしているのか、とくに校舎が住民の関与により保存・活用される事例から確認する。

2 文化遺産としての学校校舎

近年においても文化遺産としての学校校舎の保存・活用は、全国で取り組まれている。例えば、2009年に国登録有形文化財に登録された旧長井小学校第一校舎（山形県長井市・1933年建築）は、昭和50年代に鉄筋コンクリート造への建て替えに際し、市民等から保存運動が起こり、保存され[注4)]、その後、校舎活用のシンポジウムなど全市的な検討のうえ、中心市街地のにぎわいと「長井の心」を育むひとづくりを目的に耐震補強工事のうえ、2019年に「学び」と「交流」をテーマとした複合施設として開館した[注5)]。また、旧佐倉市立志津小学校青菅分校校舎（千葉県佐倉市・1955年建築）では、2017年に市と日本大学生産工学部との間に協定が結ばれ、市や住民、民間企業とも協力しながら、校舎を修復・整備し、教育資料として、また外国人観光客の誘致やワークショップ開催など、地域の核とすることを目的とした保存・活用のプロジェクトが取り組まれ、2020年に国登録有形文化財に登録された。[注6)] こうした廃校後の校舎保存と活用は、歴史的建造物として校舎を保存するという文化財保護の観点だけでなく、少子高齢化と人口減少が進む地域に、にぎわいを生み出すという地域づくりの観点が含まれていることがわかる。そして、どちらの事例も行政だけでなく、少なからず住民も保存・活用に関与していることが確認できる。

なお、文化遺産としての学校校舎の活用事例のほとんどが、都市部ではなく地方の事例であることにも気付かされる。この背景には、地方は住民の流動性が都市部よりも低く、学校に愛着や親しみを抱いた住民が学校周辺に多く居住していたことにより、住民の校舎保存の要望に結びついた可能性が考えられることや、地方は都市部と比較すると過疎化という問題も深刻化しており、こうした問題に対する行政や住民の危機感が、積極的な廃校の活用に結びついていると筆者は考える。では、少子高齢化が進行し、人口減少がより深刻な地域において、廃校はどのように活用され、地域に何をもたらしているのだろうか。本稿では、山梨県都留市小形山地域の尾県学校校舎の保存と活用の事例から確認する。[注7]

3 住民が取り組む尾県学校の保存・活用

(1) 地域の現況と尾県学校の立地

都留市は山梨県東部に位置する人口約3万人のまちである。小形山地域は禾生地区の山間に位置し、かつては養蚕がさかんで農村の雰囲気を現代に残す地域である。2021年3月末現在で、659人が生活し、この内209人が65歳以上の高齢者で、高齢化率は31.7%である。[注8] 2021年度の全国の高齢化率は28.9%で、山梨県が30.8%、都留市が30.3%であり、これらと比較すると、高齢化が若干進行する地域であることがわかる。[注9] また、小形山地域の人口減少率は2015年から2020年の間で22.4%であり、これは山梨県が2.9%、都留市が3.1%であることから、人口減少が急速に進む地域であることがわかる。[注10] 尾県学校は小形山地域の中心地に立地し、稲村神社が隣接する。校舎の西には高川山がそびえ、付近はリニアモーターカーの実験線と見学施設や道の駅つるが立地し、建物の背面には中央自動車道富士吉田線が通る。

(2) 尾県学校の成立と保存・活用

尾県学校は、1878年に開校した明治期の擬洋風建築で、山梨県では県令藤村紫朗がこの建築様式を奨励したことに因んで「藤村式建築」とも呼ばれる（写真1)。この建築は、先の「廃校リニューアル50選」の事例で紹介した、旧睦沢学校と旧津金学校を含め、6棟が県内で保存されている。

尾県学校は学校の統廃合により、1941年に廃校になるが、まもなく新

写真１　尾県学校の外観

校舎が全焼したため、1949年まで臨時校舎として利用された後、1951年に小形山区民集会で建物を維持することが決議された。昭和30年代には老朽化により取壊しも議論されたが、婦人会や卒業生を中心とした住民から反対があり、取り壊しは免れ、長く集会所などに利用された。

1967年に市文化財審議会より文化財指定の話があったのを契機に校舎保存に向け市関係者と卒業生から「尾縣旧小学校保存会」が発足し、1970年に市有形文化財に指定、1973年に復元工事を実施し、尾県郷土資料館として開館した。その後、1975年に県有形文化財に指定された。

しかし、資料館の開館後、館内が住民から寄贈された資料で雑然としてしまい、管理運営が軌道に乗らなかったこともあってか、市内の都留文科大学周辺に移築するという話も浮上した。これに対して、地元住民の井上敏雄（故人）らが反対し、移築は免れた。井上は、1923年に都留市で生まれ、高等学校の教諭を経て、1959年に東京都内で会社を設立し、代表取締役を務めた人物である。井上は、都内に住んでいたが、1978年に心臓手術で危篤状態を体験したのを機に「人のために何かできないか」と思い、故郷に目を向け、翌年小形山に戻った。井上の曾祖父は尾県学校建設当時に学事係を務めた人物で、また昭和30年代の校舎取り壊しが議論された際に、反対の声を上げたのは井上の母親であったとされ、こうした事情からも井上の尾県学校に対する想いは、人一倍大きかったことが想像される。その後井上は、1983年に資料館運営協議会の委員になった際、館内が雑然とし、老朽化も進んだ資料館を何とかしようと、市に資料館の活用を働きかけた。このことにより、展示内容を見直し、教育資料を展示する資料館にリニューアルすることになった。1985年に作業を開始し、翌年リニューアル開館した。このリニューアルでは井上をはじめとした住民有志が小形山地域を回り、教科書などの資料約2000点を収集した。現在、資料館の管理は、市教育委員会が地元の住民に館長を委託している。資料館は展示室と復元教室などで構成され、1階の館長の事務室がリニューアルしてからは、住民が自然と集う場となっている。また、擬洋風というユニークな外観から、近年では、ドラマのロケ地にも利用され、ファンが資料館を訪れる。

(3) 尾県郷土資料館協力会の発足と活動

1986年にリニューアル作業に従事した井上をはじめ住民の有志を中心に資料館の管理・運営に協力するボランティア活動を行う尾県郷土資料館協力会（以下、協力会）が発足した。会員は、小形山の住民を中心としたメンバーで構成され、2021（令和3）年4月1日現在、52人（男性13人・女性39人）で、内42人が小形山地域に在住する65歳以上の住民である。協力会の活動は、発足から現在まで取り組まれるものとして、館内清掃・美化活動、市と共催する資料館まつり（工作教室、コンサートの開催など）、大学生・市民のグループと共同で実施するホタルの観察会、文化財防火デーに合わせた火災防御訓練などがある。

協力会の発足当初、井上は自然環境や歴史に触れあえる地域づくりを目標に、小形山の史跡や自然環境の整備や保護を推進した。具体的には、付近を通る鎌倉街道や高川山登山道の整備、資料館を中心に小形山一円を蝶の公園とする取り組みなどが進められた。また、こうした活動に並行して井上個人で『ふるさと小形山』という小形山の史跡や名所のガイドブックを自費出版し、冊子の売り上げを協力会の活動費として寄付した。

こうした活動を一部継続しながら、1990年代には市立介護老人保健施設「つる」へのボランティア参加、資料館の付近を流れる桂川の清掃活動にも取り組んだ。1999年に井上が逝去し、会長の後任には、ともに協力会活動に携わってきた夫人の井上明子が選出された。協力会の活動に広がりをもたせるため、2000年に市社会福祉協議会のボランティア団体に入会し、市社会福祉協議会のボランティアまつりに参加するなど、活動は地域の外へ広がるとともに福祉の分野にも展開していった。

2018年4月から井上明子が顧問となり、娘の井上敏子が会長を引き継いだ。父から受け継がれてきた「自分も何か役に立つという生きがいになるような活動」という協力会活動の理念を大切にし、新たに市教育委員会が主管する放課後子ども教室に対する協力や、資料館を起点としたまちあるきを定期的に実施する。まちあるきは、協力会員で県文化財保護指導委員である井上武が案内する。このまちあるきは、井上敏雄の『ふるさと小形山』を基礎にし、エリアや名所など加筆した内容で実施している。

(4) 尾県学校の保存・活用が地域にもたらすもの

尾県学校は、度重なる校舎解体・移築の危機に対する住民の反対運動によって現地保存されてきた。明治時代より、現地に長く残り続けたことにより、卒業生のみならず、住民の校舎に対する愛着や親しみは大きいことが想像できる。実際に建物に抱くイメージについて、協力会員や禾生第二小学校児童によるアンケートの選択式の回答では、「地域のシンボル」が大部分を占め、尾県学校が住民にとって、日常生活と切っても切り離せな

表1　要介護等認定者率と高齢化率の比較

地域の区分	要介護等認定率	高齢化率
都留市	15.84%	28.66%
禾生地区	16.08%	24.98%
小形山地域	10.49%	31.55%

(注) 都留市長寿介護課よりデータを提供いただき、森屋が加工した。認定率は、1号被保険者の要支援1から要介護5までものである。認定率・高齢化率は2016年5月、2018年5月、2019年3月、2020年3月、2021年3月の5か年の平均値を表す。

い存在として認識されている可能性が考えられる。また、禾生地区社会福祉協議会のワークショップでは「地域福祉に役立っている人や組織、活動」という問いに対し「尾県郷土資料館協力会」という住民からの自由回答が確認でき、協力会の活動が住民に好意的に受け取られていることがわかる。こうした地域のシンボルとしての尾県学校や、そこを拠点とする協力会の活動が、高齢化率が他地域より高い小形山地域にどのような影響を与えているのか、要介護等認定率を指標に検証した。(表1)

表1をみると、小形山地域は高齢化率が都留市より約3%、禾生地区より約7%高いにも関わらず、要介護等認定率は、両者より約5%と約6%低いことがわかる。このことから、小形山地域は、市内でも比較的健康な高齢者が多い可能性が推測される。高齢者の社会参加の割合が高い地域ほど、転倒や認知症などのリスクが低い傾向があるとされるが、[注11)] 小形山地域に住む高齢者の約2割が協力会に参加することが、他地域と比較して健康な高齢者が多い要因のひとつであると筆者は考察する。また、資料館の年間利用率をみると、最も多い利用者は事務室に訪れる小形山地域に住む高齢者である。これは、高齢者が校舎に抱く愛着・親しみの想いが大きいとともに、長年、保護司を務め地域の信頼も厚い、館長の山本恒男を尋ねて資料館を訪れる住民が多いことが要因に考えられる。また、事務室は、地域の内外を問わず、お茶飲み話が交わされる地域交流の場であることも他地域との認定率の差異に関係する可能性が推測される。このことから、尾県学校のような地域のシンボルの存在や、そこを拠点とする協力会の活動が、高齢者の心身の健康に良好に作用していると筆者は考察する。

4 浮かび上がった教訓

尾県学校の保存・活用事例は、学校が住民の愛着や親しみに支えられた場所であり、コミュニティの拠点施設として、移築されず地域に長く存在し続けたという歴史が、地域のシンボルとしての尾県学校を成り立たせ、現在に至るまで、住民による主体的なコミュニティの結節点としての活用に結びついたことを示す。こうした歴史的建造物保護の事例は、建物を建築された環境から切り離さず保存するという、現地保存の原則に対して、文化遺産と住民の関係性が醸成されることにより、それを保存・活用するコミュニティが生成するという新しい視点を付与すると筆者は考える。

また、文化遺産の活用は現在、観光客の来訪によって、地域経済が潤うといった経済効果が着目され、文化財保護施策もこうした視点に富む内容が増えている。一方で、尾県学校の事例は、文化遺産の存在やコミュニティによる活用が、高齢者の心身の健康に良好に作用していて、従来の文化遺産の活用の範疇を超えており、文化遺産の新たな活用の在り方を現在の文化財保護政策に投げかけるといえる。このことから、筆者は地域における文化遺産の保護は、住民が健やかに生活する礎に資することにその意義があり、この実現には、文化遺産を核とした協力会のようなコミュニティの生成と協働を志向する文化財保護政策が求められると考える。

注

1) 文部科学省「平成 30 年度廃校施設等活用状況実態調査の結果について（2019 年 3 月 15 日公表）」。https://www. mext. go. jp/content/20210208-mxt_sisetujo-000001234_9. pdf（2021 年 9 月 22 日閲覧）
2) 廃校施設の実態及び有効活用状況等調査研究委員会『廃校施設の実態及び有効活用状況等調査研究報告書（2003 年作成）』文部科学省、http://www. mext. go. jp/a_menu/shotou/zyosei/03062401/houkoku_pdf/houkoku. pdf（2021 年 9 月 22 日閲覧）。
3) 文部科学省「廃校リニューアル 50 選」http://www. mext. go. jp/a_menu/shotou/zyosei/03062401/50senn_index. html（2021 年 9 月 22 日閲覧）。
4) 山口泰史「旧長井小学校第一校舎」フィデア情報総研編『Future SIGHT』90 号、2020 年、26 〜 27 頁。
5) 長井市『旧長井小学校第一校舎活用基本計画』2018 年。
6)「青菅分校校舎が国の登録有形文化財へ文化審議会にて答申」『こうほう佐倉』No. 1339、佐倉市役所、2020 年 8 月 15 日付、3 面。
7) 尾県学校の保存・活用の事例については、森屋雅幸『地域文化財の保存・活用とコミュニティ―山梨県の擬洋風建築を中心に―』（2018 年、岩田書院）の第 2、3 章および、同上「文化財と地域住民の健康・福祉の関わりについて―山梨県指定文化財旧尾県学校校舎を事例に―」『社会デザイン学会学会誌』10 号、2019 年、67 〜 77 頁を参考にし、この内容に 2013 年 10 月 21 日に尾県郷土資料館協力会長の井上明子（現顧問）に聞き取りした内容と 2021 年 7 月 4 日、9 月 18 日に会長の井上敏子に聞き取りした内容を加えて、執筆した。
8) 都留市長寿介護課「地域別高齢者人口等一覧（2021 年 3 月 31 日現在）」。

9）山梨県『令和3年度高齢者福祉基礎調査概要（2021年7月作成）』
https://www. pref.　yamanashi. jp/chouju/documents/gaiyou_1. pdf(2021年9月22日閲覧)。

10）小形山地域の人口減少率は、2015年国勢調査の小地域集計と前掲注8の人口から算出し、山梨県と都留市の人口減少率は、山梨県『令和2年国勢調査結果速報（2021年6月25日公表）』https://www. pref. yamanashi. jp/toukei_2/HP/DATA/02koku_sokuhou. pdf（2021年9月22日閲覧）を参照した。

11）『生活支援、介護予防等について（厚生労働省第47回社会保障審議会介護保険部会配付資料）（2013年9月4日作成）』
https://www. mhlw. go. jp/file/05-Shingikai-12601000-Seisakutoukatsukan-Sanjikanshitsu_Shakaihoshoutantou/0000021717. pdf（2021年9月22日閲覧）。

3-3　城郭の復元と観光振興－西尾城の整備をめぐって

松本 茂章

1 「復元的整備」という新たな概念

本稿では歴史的建造物の「復元」について論じたい。たとえば城郭における天守の復元などである。しかし「復元」には学術的根拠が必要であり、実現には難しさが伴っていた。対して文化庁の文化審議会文化財分科会は、2020年4月17日付で「史跡等における歴史的建造物の復元等に関する基準」を決定、「復元」に加えて「復元的整備」という新たな概念を提示した[注1)]。従来の「復元」は「今は失われて原位置に存在しないが、当時の規模（桁行（けたゆき）・梁行（はりゆき）等）、構造（基礎・屋根等）、形式（壁・窓等）等により、遺跡の直上に当該建築物その他の工作物を再現する行為」と定義されていた。当時の写真、設計図、指図などが見つからない限り、復元の「ハードル」は高かった。

一方、「復元的整備」の定義は、規模、材料、内部・外部の意匠・構造等の一部について、①変更して再現することで、史跡等全体の保存及び活用を推進する行為、②学術的な調査を尽くしても史資料が十分にそろわない場合に、それらを多角的に検証して再現することで、史跡等全体の保存及び活用を推進する行為とした。同基準では、指定文化財に加えて、「地方指定や未指定の遺跡等において、歴史的建造物の再現を行う場合についても、本基準を参酌しつつ、（中略）専門委員会の指導・助言を受けることができる」と述べている。

たとえば城跡を活かして観光振興に役立てたり、まちのシンボルにしたりする試みは全国の自治体でみられる。戦後に再建した鉄筋コンクリート造りの天守を木造で建て直そうとする動きもある。木造で天守を復元した先駆的な事例は本書第5章3節で言及する掛川城（静岡県掛川市）である[注2)]。本稿では愛知県西尾市の西尾城（市指定史跡）を取り上げ、西尾城の櫓の復元と観光振興等をめぐる現状と課題を報告する。[注3] 同市は人口17万人弱。抹茶の原料になる碾茶(てんちゃ)の栽培が盛んなうえ、自動車関連産業等が立地。名古屋駅から名鉄で1時間の通勤圏にある。

2 西尾城における二之丸丑寅櫓と土塀の復元

2020年12月24日（木）のクリスマスイブ。同市歴史公園（西尾城跡）を訪れてみると、二之丸が色鮮やかにライトアップされていた。歳末を盛り上げるために市が2020年11月7日から12月26日まで天守台や土塀に初めて照明設備を取り付けて点灯。初日にはマルシェが開かれ、手作り品販売やキッチンカーによる飲食提供が行われた。来場者2000人を想定していたのに5000人が詰め掛けた。

歴史公園は西尾城の本丸、二之丸、姫丸の一部に加えて、東100m先の尚古荘（往時の東之丸に位置する邸宅、茶室、庭園等）を含めた広さ1万2819m^2。本丸には本格的な建物が少なく、二之丸に天守、御殿等が集中した全国的にも珍しい城である。城の整備は3回に分けて行われた。第1期は1993～1994年度の同公園を整備したときに本丸丑寅(うしとら)櫓（3層3階）と鍮石(ちゅうじゃく)門を建てた。総額10億円。第2期は2012～2013年度の二之丸1次整備で、天守台と二之丸丑寅櫓台の各石垣、土塁を建設した。工費は2億5998万円だった。第3期は2019～2020年度の二之丸第2次整備で木造の二之丸丑寅櫓（2層3階）と土塀（長さ約50m）を復元した。工費は1億5950万円（写真1）。

資金をいかにして調達したのか？　同市には天守再建用のために市民・企業から寄付された基金がある。昭和50年代に天守再建の機運が高まり、西尾文化協会、西尾商工会議所、西尾信用金庫を中心にして1980年に同城再建友の会が発足。民間寄付を集めた。市に資金を寄付して公共事業による再建を目指し、市は1985年に基金条例を制定して歴史民俗資料館建設基金を新設した。天守の形状をした同館を建設する計画だった。市によると募金累計は5億4034万円（利子を含む、2021年3月現在）だ。

写真１　２層３階で復元された西尾城の二之丸丑寅櫓

写真２　「屏風折れ」している西尾城二之丸の土塀

天守復元の基金だったので、歴史公園開園と本丸の整備では用いられず、一般会計と県補助金を財源にした。しかし二之丸１次整備の前に基金条例を改正して使途に「周辺整備を含める」と付け加え、基金を取り崩した。同２次整備も基金を財源にした。一方、天守復元について、市側は議会答弁等で市税を用いない方針を示してきた。

木造の天守復元には10億円程度の費用が必要とみられるうえ、形状がはっきりしなかったので見送った。江戸時代の設計図や指図、明治初期に天守を撮影した古写真が出てきておらず、形状を断定できなかった。

二之丸２次整備では、市の西尾城跡総合整備検討委員会に城郭専門家を招き、絵図50余、古文書、1984年以来９次にわたる発掘調査結果を丁寧に検討。幕府の求めに応じて提出された「正保城絵図（しょうほうしろえず）」（国立公文書館所蔵）、土塀の修繕を記した「参河国（みかわのくに）西尾城土居崩候覚（どいくずれそうろうおぼえ）」（市教委所蔵）を重視した。二之丸で出土した井戸が絵図の位置と同じであったため絵図の正しさを確認できた。建物の寸法を書いた「西尾城郭覚書」の数字と発掘結果がほぼ一致した。これらから二之丸丑寅櫓の形状は黒壁をした望楼型の「２層３階」と総合的に判断。土塀は２か所が敵方に「屏風折れ」した異色の形状だったと認めて復元工事を行い、2020年７月に完成した（写真２）。

同市文化財課主事の浅岡優（1986年生まれ）は静岡大学人文学部で考古学を学び、西尾城の発掘調査を担当する。浅岡は「二之丸丑寅櫓や土塀の復元では、江戸時代初期の姿に戻すことを前提に、城郭建築の第一人者である三浦正幸・広島大学名誉教授を招き、復元考察をしていただいた。総合的な学術調査をもとに往時の姿を再現した」と語った。土塀の「屏風折れ」は鉄砲や弓矢を打ちやすいようにした工夫で、国内では宇都宮城に1か所あるが、2か所も設けられたのは西尾城だけだという。「SNS映え」するので城郭愛好者から注目され、2020年10月に御城印を売り出した際には購入希望者が公園周囲に行列をつくった。

市の検討委員会では、二之丸丑寅櫓と土塀に加えて、天守についても「3層4階」の復元案を公表した。層塔型の上に望楼型を載せた「層塔望楼型」と呼ばれる形状で、他に類例がない。市側は「復元できれば全国に誇ることができる」と期待する。

文化庁の新概念「復元的整備」に対して、同市文化財課の浅岡は次のように語った。「歴史的建造物の復元にあたっては、将来に古写真が見つかる可能性がゼロとは言い切れず、困難なところがあった。江戸時代の絵図は正確ではない面もあり、悩ましかった。今回示された新たな基準によって随分と復元しやすくなった。西尾城の場合、二之丸の寅櫓や土塀の復元工事では専門家から建築学的な検討をいただき、総合的な学術調査を元にして往時の姿を再現した。文化財分科会が示した『復元的整備』に相当する。今後も丁寧な学術調査を重ねていきたい」。

3 施工監理の難しさ

西尾城の櫓を復元する工事の施工監理は、株式会社フジヤマ（本社・静岡県浜松市）が受注した。城郭研究の専門家が設計した復元図をもとに同社が復元設計を担当。行政と施工業者の間の橋渡し役を務め、工事の進行を引き受けた。定期的に工程会議を開き、工程予定と実際の進捗状況をチェックした。

写真３　西尾城二之丸・天守台の石垣は、発掘調査で出土した石も用いて復元された（手前は西尾市文化財課主事の浅岡優さん）

同社文化財研究室長の池野康史（1967 年生まれ）と同室係長の坂田昌代（1968 年生まれ、一級建築士）の話によると、[注4] 施工業者は江戸時代の建築物を復元した経験が乏しく、途中から工程予定に比べて進捗が遅れ気味となった。地産地消を心掛けて地元の瓦や石を用いたので、左官や職人のスケジュール管理にも苦心した。坂田は「江戸時代の〈戦闘施設〉を施工した経験を有する総合建設会社は少数であり、伝統的な建築物特有の技法を理解してもらうため、専門家を招いて技法に慣れない職人を対象にした勉強会を開いた」と振り返った。

同社は約 20 年前に文化財研究室を設置した。新東名高速道路工事で業務が増えたので「室」に昇格させたという。2014 年以降、浜松城・天守門の復元、島田市・諏訪原城の堀の復元などの受注実績を積み上げてきた。室長の池野は「2020 年に『復元的整備』の概念が生まれたので、各地で歴史的建築物の復元工事が増えることは間違いない。新たなビジネスチャンスだととらえている」と期待を込めた。

4 観光拠点として

西尾城を観光拠点にするために西尾市は機構改革に踏み切った。歴史公園（西尾城）の所管は市教委の文化振興課だったが、教育委員会のままだと保存志向が強くなると考え、2020年4月、市長部局に交流共創部を新設した。従来、観光部署は商工観光課にあったが、観光部署と文化振興課を合体させて観光文化振興課を新たに設けて同部に置いた。機構改革で歴史公園は新設の同課の所管になった。市教委に設けられた文化財課が発掘調査や保存・維持の業務を担当する。

市交流共創部の初代部長に就任した内藤貴久（1962年生まれ）は「文化財保護法の改正に伴い、文化財をもっと観光に活用することが求められている。維持・保存するだけでなく観光・交流に使いたいと考えた。次の城整備は観光や誘客を視野に入れて行う」と話す。文化振興課長を2年務めたとき「ずっと同じところにいる学芸員では市長部局の行政職員と交流がない」と感じ、20代の学芸員1人を観光文化振興課に異動させた。

同時に市は2021年4月以降の5年間、同公園の指定管理者に市シルバー人材センター・市観光協会・NPO法人「やらまいか人まちサポート」の3者を選定した。2021年度の指定管理料は1110万円。観光協会の起用は観光戦略に沿った動きである。協会事務局長・常務理事の近藤稔幸（1957年生まれ）は「公園は市民憩いの場である一方、公募の際に市が『観光の場』をうたったので応募を決めた。施設効用の最大化を図り、収益を上げて新たな事業を展開したい」と語った。事業計画によると、三河弁で案内できる観光案内人を尚古荘の事務所に常駐させたり、貸し自転車業務を通年で行ったり、土産物産販売コーナーを常設したりする予定。キッチンカーを用いた飲食提供のイベントを複数回実施する計画も温める。着物を着付け・レンタルできる行事を行うことに取り組むつもりだ。

市交流共創部は歴史まちづくり法（2008年制定）に基づいた「歴史的風致維持向上計画」をまとめ、国土交通省等に申請する予定だという。国の認定を目指す。同部長の内藤は「歴史的な景観を維持・保存して、市内の散策を楽しめるまちにできれば」と夢を描いた。

5 合併10年を経て

三河のこの辺りは中世に「吉良荘（庄）」と呼ばれ、「忠臣蔵」の物語に登場する吉良氏の所領だった。西尾城は吉良氏が築城した。その後、徳川家や豊臣家の家臣の居城になり、江戸期には徳川の譜代大名が赴任した。

西尾城には、まちのシンボルとしても熱い視線が注がれる。旧西尾市に一色町（2万3000人）、吉良町（2万2000人）、幡豆（はず）町（1万2000人）の3町が合併して2011年に新西尾市が誕生。2021年で「10年」を迎えたからだ。一色町はウナギの特産地で、三河湾に浮かぶ離島・佐久島はアートプロジェクトが話題を集める。吉良町には吉良氏の菩提寺や吉良温泉街がある。幡豆町は火祭りなどで知られる。

同部長の内藤は「10年経てば新西尾市のイメージができると思っていたが、旧市町村意識は根強い」と認める。自身も吉良町職員の出身だ。内藤によると、「吉良荘（庄）」の地域は新西尾市の面積とほぼ同じ。足利氏の一門が所領を得たのが承久の乱（1221年）の軍功によるもので21年は800年に当たった。この後に吉良氏と名乗ったことで、市は21年度に「吉良氏800年祭」を開催した。

6 特産の抹茶との連携

西尾城には特産の抹茶と連携した観光振興に期待感が高まる。西尾茶協同組合（49社加盟）の事務局長、奥谷陽一郎（1981年生まれ）によると、旧西尾市や旧吉良町には碾茶（抹茶の原料）の農地が200haあり、2018年度には420トンが生産された。全国有数の産地で、北米などの海外にも輸出される。矢作川が運んできた砂で水はけの良い土壌ができ、湿度が茶栽培に適していた。愛知県岡崎市で産出された花こう岩によって石臼が入手しやすいことも好条件だった。業界が団結して地域ブランド「西尾の抹茶」を国に申請して2009年に認められた。400以上の商品に「西尾の抹茶」の名前が付けられた。

奥谷は西尾市生まれ。若いころ吉本興行に所属して「奥谷まっちゃ」の芸名で活動。古里に戻り同組合に採用されて抹茶のPRと事務仕事に励む。奥谷は「2019年11月には初めて西尾城で全国お茶まつりを開催した。二之丸に特設した舞台でダンスが披露されるなどして2万人が集まった。若い世代に抹茶の魅力を一層伝えていきたい」と述べた。

京都にあった旧近衛邸の書院や茶室が1995年に西尾城・二之丸へ移築され、市民や観光客らに有料で呈茶サービスを行っている。新しい指定管理者は観光客向けに呈茶サービスを増強する考えだ。

起爆剤となったのは、尚古荘の一角にて2018年4月に開業した「抹茶ラボ　西尾伝想茶屋店」の成功である。NPO法人「西尾幡豆まちづくり観光プロモーション」が経営する店舗（32席）だ。和風造りの木造建物を活用して抹茶を用いたかき氷、抹茶パフェ、ジェラートを1000円程度で販売する。2021年1月5日（火）の昼下がり。店内に入ると、軽快なポップス曲が流れ、平日昼なのに若い人たちでほぼ満席だった。同NPO代表理事の都築貴弘（1970年生まれ）は「休日だと2～3時間待ちの行列ができる。西尾特産である抹茶の魅力を伝えるためにカジュアルな形で提供しようと考えた」と話した。都築は1991～1994年にスペイン・バルセロナで料理修行を行った異色の経歴を有する。帰国後はスペイン料理店を経営していたが、テイクアウトの魅力を知り2007年から弁当製造販売業を営む。本業の傍ら、地域おこしを志してNPO法人を発足させ、小学校で料理教室を行ったり、花見時期の西尾城に散歩を誘う事業「サクラ、ハナイチ」を企画したりしてきた。「今のお城のままでは若い人たちの心に『刺さる』ことはない。もっとカジュアルさを前面にして売り出さないと魅力が伝わらない」と指摘した。

7 西尾城からの教訓

西尾城をめぐる課題はいくつもある。1つには資金調達である。市によると、30年先の天守再建では10億円程度が必要になるとみられる。城整備に市税を投入しない方針だけに、いかにして復元機運を高め、寄付を募っていけるのかが問われる。2つには、復元に対する合意形成の難しさである。これまでにつくられた天守の復元案は11種類もあるといい、決定的な資料や古写真がほしいところだ。復元された櫓の形状について、西尾文化協会の会員有志からは自らの研究を踏まえて異論が出され「市民の声をもっと聞いてもらいたい」との要望が寄せられた。検討委員会の天守案に疑問を投げかける声がある。

文化遺産経営を考えるとき、「復元的整備」の概念は今後、影響を与えると思われる。戦後、コンクリートで復元した城郭天守が老朽化した際、よほどの学術的根拠がないと「復元」できない恐れがあった。「復元的整備」ならば復元天守の建て直しを論議しやすくなる可能性が浮上する。

全国各地の自治体で、これから城跡を活用した同様の復元・再建計画が出てこよう。西尾市の事例は文化財保護法改正以前からの取り組みながらも示唆に富んでいる。

※本稿の事例部分は、時事通信社の行政雑誌『地方行政』2021年3月22日付に掲載した松本茂章「お城と抹茶のまち・愛知県西尾市　－合併10年を迎えて－」をもとに大幅に加筆修正したものである。

注

1） 文化庁HP。https://www. bunka. go. jp/seisaku/bunkazai/92199502. html（2021年8月29日閲覧）
2） 松本茂章『日本の文化施設を歩く』水曜社、2015年、110～113頁参照。
3） 西尾市には2020年12月24日、2021年1月5～6日、2021年2月5日に訪れた。浅岡優には2021年1月5～6日、近藤稔幸、奥谷洋一郎、都築貴弘には1月6日、内藤貴久には2021年2月5日にそれぞれ会い、ロングインタビューを行った。
4） 株式会社フジヤマには2021年7月27日に訪問し、池野康史、坂田昌代に聞き取り調査を行った。

■ interview ■

国登録有形文化財全国所有者の会（全国登文会）会長

寺西興一

1945年生まれ。京都大学大学院工学研究科（修士課程）修了。35年間、大阪府の建築行政に関わる。大阪府建築都市部特別建築課長で退任後、一般財団法人大阪建築防災センター専務理事を務めた。寺西家住宅等の所有者。2019年6月に全国登文会が設立され、初代会長に就任した。

古民家活用はマンションより儲かる

──大阪市阿倍野区阪南町1丁目にある寺西家の建物とは？

地下鉄御堂筋線・昭和町駅から徒歩1分ほど。1926（大正15）年建築の住宅主屋1棟（木造瓦葺2階建て建築面積102m^2）、1932（昭和7）年建築の長屋1棟（4軒、木造瓦葺2階建て同201m^2）、1936（昭和11）年建築の蔵1棟（木造瓦葺2階建て同18m^2）という3つの建物で構成される。

長屋は小学校校長だった祖父が息子（私の父）のために建てた。現在、4軒長屋すべてを店舗として貸している。イタリア料理店、日本料理店、中華料理店、焼肉店が入居し繁盛している。2003年に国登録有形文化財に登録された。長屋としては全国で初めてだった。

主屋と蔵は、2年後の2005年に国登録有形文化財に登録された。寺西家住宅は、1924（大正13）年設立の阪南土地区画整理組合が行った区画整理の区域内にある。全国でも2番目の土地区画整理で面積131ha。大阪市の上下水道に加えて都市ガスも敷かれたので、長屋には炊事用ガス器やガス風呂が備えられていた。この界隈は太平洋戦争時の空襲に遭わず、昭和30年代まで古い町並みが残っていた。

――マンションに建て替えようとしていたと聞いている。

2度、マンションへの建て替えを試みたが、いずれも実現しなかった。最初は寺西家住宅の主屋と蔵を壊して9階建てマンションに建て替えるものだった。バブル経済の時代で地価が高騰した。不動産業者や金融機関が来て、父が亡くなったら、将来、支払えないほど高額の相続税がかかると試算してきた。建設業者と契約までしたが、周辺住民の反対等もあり、中止せざるを得なかった。

15年ほど経過して、相続のことを真剣に考えなければならない時期になった。長屋は老朽化しており、寿命をまっとうしたと思った。このため手入れを行わず、入居者が退去しても募集しなかったので4軒とも空き家になった。主屋は長男の私が相続し、長屋は姉妹が相続する予定だった。姉妹に相続すると売却するしかないというので、両親が健在なうちに長屋をマンションに建て替え、姉妹が相続してはどうかと考え、業者と打ち合わせを行っていた。結果的には私が姉妹から長屋を購入する形になった。

長屋のマンション建て替え計画が大学や工業高校の先生たちに広まり、訪ねてきた学生らが測量を始めた。この関係で京都大学の先生が視察に訪れた。「これは登録文化財になるなあ」と意外なことをおっしゃる。豪邸でもないので「登録文化財なんてとんでもない。改修するには役所におうかがいを立てなくてならなくなる」と思った。百害あって一利なし、と感じた。

とはいえ気になった。大阪府の勤務だったので、同じ庁舎だった教育委員会文化財保護課を訪ねて担当職員に聞くと、長屋の登録は「全国で初めて」という。この言葉で「壊すのは、いつでもできるが、壊してしまうと戻すことはできない」と思い始めた。大阪府の建築行政に35年関わってきたので文化行政にも協力したいと考えるようになった。申請してみたところ8か月後に登録された。

長屋を生かすために改修を決意した。最初は近隣の業者にお願いしていたが、見積もり段階で急きょ店を閉められたので、友人から紹介された宮大工にお願いした。

工費の見積もりは「壁や床をめくってみないと分からない」面がある。工務店の方を信じた。契約書は簡潔だった。最終的な改修費は1600万円。1軒あたり300万円は必要だろうと踏んでいたが、1軒あたり400万円になった。

──マンション建設より改修の方がお得？

長屋の改修工事を終えて、入居者から家賃収入が入り始めると、気づいたことがあった。マンションを新築する方が、長屋の改修の方より儲かると思い込んでいたが、逆だった。

マンションを新築するためには金融機関から1億5000万円ほどを借り入れる。元利の返済が発生する。さらにマンションは新築物件だけに固定資産税等が高くなる。電波障害対策費も必要になる。工事に入ると、建築工事費1億4400万円にとどまらず、設計監理の費用も求められる。登記経費、融資保証料、広告宣伝費、消費税などを合わせた総額1億7000万円は、長屋改修費1700万円の「10倍」に達してしまう。

マンションを新築すると、毎月のローン返済額が800万円。建物の固定資産税と都市計画税は135万円かかる。しかし長屋改修なら3万円にとどまる。

これらを差し引きして毎年の収益を比べてみた。マンション新築では毎年1440万円の家賃収入を得ても、経費を差し引くと手元に残るのは年間300万円。対して長屋では年間600万円の収入がある。長屋の年間家賃収入720万円はマンションの半額だが、経費が安く、年間収益は新築マンションの2倍に達する。

私自身、大いに驚いた。「貴重な建物だから残すべき」ではなく「古い建物を残した方が得」なのである。改修は手持ち資金で回収でき、借金返済がない。もっとも、長屋を住宅ではなく、飲食店に貸すことができたので、家主としては内装費が不要だったうえ、住宅よりも高い家賃で貸すこ

とができたことも申し添える。(表)

──登録文化財の所有者になって心境の変化は？

長屋を文化財にしたことで私の人生は一新した。見えないものが見える

長屋改修とマンション建設の収益比較（寺西家長屋の例）

項 目		設定条件	マンション建設	長屋改修
事業計画	建築計画	敷地面積	300m^2	300m^2
		施工床面積	900m^2	360m^2
		賃貸床面積	600m^2	360m^2
		1 戸当床面積	60m^2	90m^2
		戸数	10 戸	4 戸
	資金計画	自己資金	2,000 万円	1,700 万円
		借入金	15,000 万円	―
		計	17,000 万円	1,700 万円
建設費	建築工事費	建築工事費	14,400 万円 16 万円 /m^2	1,600 万円
		設計監理	864 万円	―
		測量・地質調査	30 万円	―
		電波障害対策	200 万円	―
		計	15,494 万円	1,600 万円
	創業費	登記等経費	130 万円	―
		融資保証料	250 万円	―
		建設中金利	70 万円	―
		広告宣伝費	100 万円	―
		消費税	775 万円	80 万円
		雑費	181 万円	20 万円
		計	1,506 万円	100 万円
		合 計	17,000 万円	1,700 万円
当初収入	敷 金	3 ヶ月（10 ヶ月）	330 万円	600 万円
毎年収入	家 賃	1 戸当り賃料	12 万円	15 万円
		賃料単価（坪）	6,600 円	5,500 万円
		年間家賃	1,440 万円	720 万円
	A	入居率 95%	1,368 万円	684 万円
毎年支出	建 物	固定資産税	110 万円	3 万円
		都市計画税	25 万円	
	土 地	固定資産税	10 万円	35 万円
		都市計画税	5 万円	9 万円
	返済額	元利均等払い	800 万円	―
	その他	各種保険等	20 万円	17 万円
		修繕積立金等	98 万円	20 万円
	B	計	1,068 万円	84 万円
収支差額	A-B		300 万円	600 万円

（出典：所有者である寺西興一から提供された一覧表を掲載）

ようになった。戦後、わが国の住宅は「寿命30年」で建て替えられてきた。短命な住宅は、資源の無駄遣いであるうえ、新築すれば金融機関のローン返済に苦しむことになる。

登録文化財は、自由に内部を変更でき、外観も外部から見える部分の4分の1以内なら自由に変更可能だ。利点が少ない代わりにデメリットも少ない。経済的利点は税金が少し減額されるぐらいであったが、近年徐々に改善されつつある。木造というと老朽化のイメージが強いが、人間だって病気になって治療してもらうわけで、建物を大切にしたい。

長屋を登録文化財に申請した際、主屋は登録しなかった。長屋を保存すために主屋をマンションに建て替えて、経費を浮かさなければならないと考えていたからだ。

父が亡くなった2003年、登録文化財をめぐる相続税の制度改正が行われ、土地・建物の評価額が30％減じられて、所有者の相続税が有利になった。事前に分かっていれば、主屋も長屋と一緒に登録していたのに、と随分と後悔した（笑）。

長屋の2年後、主屋が登録文化財になると、文化団体から「催しに使いたい」との依頼が舞い込むようになった。主屋では、これまで定例落語会の開催、生け花展、琴や三味線の演奏会など多彩な文化事業に使われてきた。多様な催しを行うようになってアートマネジメントの重要性に気づいた。企画する労力、事前の打ち合わせ、当日の人件費、会場費…等が大変だ。所有者等が自主的に実施すると安くできる。行政の催しの場合、民間の自主事業に比べて10倍の費用がかかるというのが実感だ。

さらに蔵の活用を考え、道路側の壁に出入口を設け、飲食店に貸している。

──全国登文会の会長に

大阪府登録文化財所有者の会の事務局長を経て、会長を務めている。さらに2019年、9都府県の所有者の会の関係者が集まり、国登録有形文化財全国所有者の会（全国登文会）が結成され、非力ながら同会会長に選出された。大阪府の国登録有形文化財（建造物）は771件（2021年9月現在）で、全国最多であること、大阪が所有者の会の先駆けという点を評価していただいたのだと思う。

全国登文会は、文化庁への要望、建物の利活用の情報交換などを行う。2021年現在、北から秋田、群馬、東京、神奈川、愛知、三重、京都、大阪、和歌山の9登文会が集う。今後、各地で登文会が設立される見通しだ。さらに登録文化財の旅館、料亭、醸造業などの会員からは「ビジネス分科会」のような組織をつくりたいという声もあがっている。

所有者には、課題や悩みを共有する。互いに交流して情報を交換することで、登録文化財を後世に伝えていければ、と願っている。

大阪登文会では2020年度、「御財印帳」を発行する試みを始めた。主に府南部の登録文化財をめぐるもので、1冊1500円、専用袋をつけたセットが計2000円で、来場者に販売する。泉南市の職員が、少しでも所有者に浄財をいただける手法を発案したものである。

──「昭和の町」として

地下鉄・昭和町駅そばの長屋を残したことで思わぬ反響があった。長屋に入居した飲食店舗で働く若者たちがアイデアを寄せ合い、2006年から「どっぷり、昭和町」という祭りを始めた。原則、毎年4月29日に開催してきた。祭りの会長は私がお引き受けしていた。木造の長屋や主屋は、私の世代には見慣れた風景だったが、若い人たちにはレトロな景観がとても魅力的に映るという。若者たちがコミュニティの中心にしたい、と言い出した。まさに地名の「昭和町」らしい昭和レトロのまちとして注目されるようになってきた。

（2021年5月8日インタビュー　松本茂章）

寺西興一さん、両側は所有する主屋や長屋

第4章 「創造人材×古い建物」がまちを変える

4-1 近代遺産がアートセンターに
—旧国立神戸移民収容所とCAP HOUSE

松本 茂章

1 歴史的建築物とアートの親和性

松本茂章『日本の文化施設を歩く　官民協働のまちづくり』（水曜社、2015）には、「歴史的建築物を残すために」と題した第2章が設けられ、古い建物がアートに活用されている現場を紹介している。たとえば元日本銀行京都支店を活用して京都府が整備した京都文化博物館、元日本銀行岡山支店を活かして岡山県が整備した岡山ルネスホール、酒蔵を改装した深谷シネマ、旧結婚式場を演劇稽古場等に活用した横浜市の急な坂スタジオ、1935（昭和10）年建築の元宝塚音楽学校を改修した宝塚市立の宝塚文化創造館などである。

学校校舎であれ、民間建物であれ、文化遺産をアートに活用した事例では文化人、芸術家、芸術家団体、アートNPO法人等が活躍する場合が目立つ。アーティストたちが熱い思いを抱いて運営してきた事例が印象に残る。なぜなのか？　筆者が思うに「時間の蓄積」や「年輪の積み重ね」が歴史的な建築物に独特の雰囲気を醸し出すので、文化人・芸術家の心に響くのではないだろうか。

アートの力で歴史的建築物を再生した代表的な事例は神戸市立海外移住と文化の交流センター（かつてのCAP HOUSE）であると筆者は考えている。[注1)] 阪神・淡路大震災（1995年）のあと使われずに廃墟状態だった建物を神戸の芸術家らが〈発見〉し、自らが運営する形にして活用したからだ。

本稿では同センターに焦点を当て、アーティスト主導による芸術創造拠点づくり、あるいや官と民による協働のありようを見つめる。

2 旧国立移民収容所の建物

JR 元町駅から鯉川筋を北に 15 分ほど歩くと六甲山の南麓に差し掛かる。緑の山を背景に神戸市立海外移住と文化の交流センター（神戸市中央区山本通 3 丁目）が見えてくる。クリーム色の外観が印象的な鉄筋 4 階一部 5 階建ての建物だ。前庭には「ブラジル移民発祥の地」の碑がある。春になるとブラジルの国花イペーが黄色い花を咲かせる。ここは 1928（昭和 3）年に建てられた旧国立神戸移民収容所である。第 1 回芥川賞を受賞した石川達三の作品『蒼氓』の舞台になった。

神戸の財界人が 1926（大正 15）年に日伯協会を設立、兵庫県・神戸市と一体となって移民専用の国立施設設置を求めた。移住希望者が全国各地から集まり、1 週間から 10 日ほど滞在して渡航準備を行った。1971 年には同施設（当時は神戸移住センター）が閉鎖された。同施設から戦前、戦後を通じて 19 万人がここからブラジルに渡った。

老朽化は著しかったが、渡航直前に暮らした建物の保存を求める声がブラジルの日系人らから挙がった。神戸市は国土交通省のまちづくり交付金 6 億 6600 万円などを得て 2008 年度に本格的な保存・修復工事を行い、翌 2009 年 6 月、「公の施設」として現名称の施設を開館させた。

建物は延べ 3500m^2。1 ～ 2 階には一般財団法人日伯協会が運営する移住ミュージアム、3 階の半分は NPO 法人関西ブラジル人コミュニティが運営する在住外国人支援施設、3 階の半分と 4 階は NPO 法人芸術と計画会議（略称「C. A. P.」）が運営するアトリエやギャラリー、5 階はホールである。この 3 者と不動産事業等を行うカワサキライフコーポレーションの計 4 者で構成する共同事業体が指定管理者に選ばれた。

2020 年 9 月 26 日（土）に久しぶりに訪れてみると[注 2)]、移住ミュージアムでは企画展「アマゾンを救う日本人パワー!!」が開催中だった。常設展では渡航時に持参した荷物、移住先で使った道具・農具類、移住を奨励するポスター、1934年の神戸市街図、移民船の模型、同施設での滞在風景写真などを紹介。ベッドを並べた居室も再現していた。

日伯協会常務理事で事務局長の窪田静磨（1955年生まれ）は神戸市に本社を置く住友ゴムの元社員。2014年から2018年までブラジル・パラナ州に設立された現地法人の社長を務めて同国に暮らした経験を有する。窪田は笑顔で「企画展を年に2回、中南米音楽祭を年3回開くほか、ポルトガル語の語学講座などを続けている。2019年度には1万8000人が訪れた。近年は多文化共生を学ぶ視察が増えてきた」と話した。

3 芸術創造拠点「CAP HOUSE」として

移住者らは同施設を出て坂道を歩いて下り、神戸港から船に乗り、南米に向かった。移住者らの「心の古里」と言える施設であるのに、なぜ3～4階に「文化」の拠点が入居して、アートNPO法人が指定管理者に選定されているのだろうか？

話は1990年代にさかのぼる。阪神・淡路大震災のあと同建物は空き家になっていた。神戸を拠点にする美術家らで構成する芸術と計画会議(1994年発足）は1999年11月～2000年5月、使われていない同建物を市民ら130人で掃除して期間限定の「CAP HOUSE～190日間の芸術的実験」に用いた。これを契機に2007年12月まで全館を活用して「CAP HOUSEプロジェクト」を展開。民間アートセンターとしての活動を行った。

C. A. P. の立ち上げ時から2015年まで理事長を務めた杉山知子（1958年生まれ）は京都市立芸術大学大学院を修了後、神戸・旧居留地の古い建物「高砂ビル」にアトリエを構え、作家活動を行っていた。活動が評価されて神戸市基本計画審議会委員に選ばれたが、複数の美術館を建てる市の構想に疑問を抱き、大学時代の仲間たちに呼び掛けて1994年10月、11人の連名で「これからの美術館」と題した提案を市に提出した。現代美術の活動や現場を支援するための美術館が必要だと指摘した。

3か月後に阪神・淡路大震災が発生。歴史的建築物が数多く残されていた旧居留地の建物も被害にあった。知り合いの建設会社社員から旧移民収容所が使われていないことを知らされた杉山は仲間と相談した結果、芸術家がこの建物をどう活用するか、それ自体が興味深いという思いで一致。市に利用を要望し1999年11月から2000年5月まで「190日間の芸術的実験」と題した暫定利用が認められた。

杉山は「当時は廃墟。ほこりがたまり、カビも生えていた。まずは大掃除から始めた。掃除そのものをアートプロジェクトと位置付けて参加者を募ったところ130人も集まってくださった」と振り返る。[注3)] 130人は1人1500円の参加費を負担して参加、白いつなぎ服を着て片付け作業を行ったが、予想外の大人数に同服が足りなくなった。

「190日間の芸術的実験」の狙いは、芸術家がそれぞれ自らのアトリエをつくることだった。イベントを行うのではなく、滞在制作のために芸術家が過ごすことで、その場所がどのように変わるのか、という実験を試みた。

「190日間の芸術的実験」の費用600万円は企業等から寄付を集めた。杉山によると「大半は光熱水道費や電気工事代に費やした。事業費はゼロだった」という。

実験の終了後、いったん建物を返却したが、2002年以降、市の了解を得て建物内での活動を再開させた。芸術家各自が毎月1万円の活動参加費を負担したり、企業から寄付を募ったりして管理運営資金をつくった。資金に限りがあるので、自分たちで設備を整えた。杉山は「1階手洗い場にシャワールームを手作りし、2階からホースを延ばして水道水を浴びた」と回想した。

同市はC. A. P. の活動を評価。2002年、1階に神戸移住資料室を設けた際には建物と同室の管理業務をC. A. P. に委託した。このとき市が消火器、火災警報装置、誘導灯等を取り付けてくれた。法人格が必要になり、任意団体からNPO法人を設立するに至った。

こうした経緯から同建物が「公の施設」になって指定管理者を選定する際、C. A. P. が指定管理者に選定されるとともに、現在も芸術家11人がアトリエを借りて創作活動を続けている。山本通3丁目の住所から「KOBE STUDIO Y3」と名付け、海外アーティストを受け入れたり、美術展などの文化事業を開催したりする。

前理事長の杉山知子は「大学の仲間たちに呼びかけて居留地の高砂ビルに集まり、美術館のありようを論議した。旧居留地に集まっていなかったら、戦前の建物を活用するCAP HOUSEの活動はなかったと思う。C. A. P. の活動は旧居留地に原点があった」と振り返る。そして歴史的建築物に対しては「アーティストにとって歴史のにおい、染み出た味が心地いい。なにより芸術家には、これらを磨くセンスが備わっている。今まで使われてこなかったものをリノベーションする力がある」と語った。

4 新しい仲間たち

C. A. P. の理事長は15年以降、下田展久（1957年生まれ）に引き継がれた。理事も世代交代が進んだ。下田は川崎市出身。大学時代からバンド活動を続け、卒業後は音楽関係の仕事をしていたが、縁あって1988年、神戸の音響メーカーに入社。1995年の阪神・淡路大震災後、C. A. P. のメンバーと知り合い、仲間に加わった。穏やかな人柄で知られ、C. A. P. 事務局長やCAP HOUSE館長を引き受けてきた。同志社女子大学の非常勤講師も務める。2代目理事長に就任すると「指定管理業務はやるべきことが多く、次に面白いことが見つかるまで足元を固めよう」と思った（写真1）。

2018年から新メンバーに加わったのが前島須美（1960年生まれ）である（アーティスト名は「まえしま須美」）。高校まで神戸に育ち、その後ニューヨークに留学。パーソンズ美術大学でデザインを専攻し卒業した。1979年に帰国して大阪の広告代理店に入社。1984年に再渡米して陶芸を学び、フィラデルフィア市の非営利団体「ザ・クレイスタジオ」のレジデントアーティストに選ばれた。5年間滞在制作しながら生徒を教えた。さ

写真１　神戸市立海外移住と文化の交流センターの外観
（中央は下田展久さん）

らにペンシルベニア大学講師を20年務め、2018年6月に帰国した。「両親が残してくれた家が東灘区にあって戻ってきた。神戸のアーティスト・コミュニティを調べると、C. A. P. の活動を知って訪ねてみた。陶芸の窯が2つもあるので驚いた」と振り返る。旧収容所の建物北側に1960年代に増築された平屋の別館（広さ300m^2）があり、「工作棟」と名づけて窯も設置されていたのだ。同棟内の粘土部屋には陶芸に必要な道具等もそろっていたが、利用率は高くなかった。そこで下田が粘土室のシステムの一新を図った。C. A. P. 会員となった前島は技術スタッフの1人に加わり、下田やC. A. P. スタッフらと詳細に検討。窯で創作したい希望者を募るとすぐに定員20人を満たした。

こうして工作棟で窯を運営する自治組織「C. A. P. クレイスタジオ」が誕生。使用頻度が飛躍的に高まった。シェアメンバー20人は1人年間1万2000円の会費と焼成費等を負担する。前島は「米国ではワークライフバランスが重視され、弁護士、医師、金融関係者など多忙な職業の方も熱心に創作と取り組んでいる」と語った（写真2）。

2018年に入会した仲間には最年少会員の川﨑の乃（1999年生まれ）が

写真２　神戸市立海外移住と文化の交流センター工作棟の風景

いる。私立大学の文学部生。父は鬼瓦師、母は美術家。C. A. P. 会員である母の誘いで小学生からY3に出入りし、中高校生では夏休みの子供向け林間学校で食事作りを手伝った。大学進学後に自ら入会した。2020年10月には「Nono」のアーティストネームでY3のギャラリーにて3人展を開催。予定されていた独ベルリンの美術家の作品展が新型コロナウイルス感染拡大のために中止になった。急きょ空いたギャラリーを活用して若い女性3人で展覧会を開いた。「ストレス発散のために1人でゲルインキのペンで絵を描いてきたが、だれにも見せたことがなかった」という。

川崎が展示したのは計27点。2019年に旅行したスイス・チューリッヒのまちなみにヒントを得た架空の町の風景を描いた作品などだった。下田は「面白い絵を描くでしょ。彼女がC. A. P. 会員の平均年齢をうんと下げてくれた」と目を細めて筆者に語った。川崎は「Y3には個性的な人が一杯いらして面白い。作品を公開することも、言葉で説明するキャプションを書くことも、初めてだったので、とても不安だった」と打ち明けた。Y3の共同アトリエを利用する仏人アーティストと自動翻訳機で会話を試みると「君は絵を続けるべきだ」と励ましてくれた。

5 C. A. P. の課題

C. A. P. はこれまで海外美術家を招いて滞在制作事業を行ってきた。世界に広がる人脈を活かし国際的なネットワークを構築しようと努める。たとえば2016年から独・ハンブルグ、中東・ドバイ、フィンランド・トゥルク、神戸のアートグループをつなぐ事業「See Saw Seeds」を始めた。2020年には六甲山山頂で開催されたアートプロジェクト「六甲ミーツ・アート芸術散歩」に初めて参加した。Y3にアトリエを有する美術家に加えて交流先の1つである独・ブレーメンの美術家の作品展示を実現した。

とはいえC. A. P. の活動には課題が山積する。年間予算は1200万円にとどまる。同市から受け取るY3の指定管理料は730万円余り。下田を含めて常駐スタッフを2人置くので精一杯。下田は「マンパワーが不足している」と認める。自主事業を行うための寄付を企業や個人から募る。

前島は非営利活動が盛んな米国に30年ほど暮らし、自身もNPO活動に関わった経験を踏まえ「C. A. P. にはもっと分厚い層の支持者の獲得が求められる。キュレーターの常駐や広報担当者が必要」と話した。そして「日本では、非営利団体なのでお金を稼いではいけないとの意識が強すぎる。これでは組織は大きくならない。行政からの補助金には限りがあるのでサポートしてくださる層をもっと分厚くしていかなくては」と言葉を続けた。下田は「同じ建物に入居して活動する3団体が自然な形で連携し、そこから新たな創作活動が生まれれば…」と語った。Y3には新たな風が吹き始めようとしている。

6 C. A. P. から得られる教訓

筆者がC. A. P. に注目するのは、1つに事業に継続性がある点である。企業や個人からの寄付、自主事業の収入などの自己財源を有し、地道に活動を続けてきた。旧国立移民収容所の建物を初めて借りた1999年から数えて20数年が経過した。この間に川﨑の乃のような新しい人材が加わってきた。人材に新陳代謝がみられる。2つには神戸市とは一定の距離を置いた協働関係にあることである。当初の「190日間の芸術的実験」では市から公的な資金を得ていなかったが、この後の移民資料室の管理では年間300万円の委託費を受けた。現在は指定管理料を得ている。自治体の下請け的な官製NPO法人ではない点が評価できる。3つには港町・コウベのまちづくり、まちなみ景観保全に貢献したことである。大震災後、数多くの歴史的建物が壊されていった神戸のなかで、1928年に建築された旧移民収容所の風景を残せたことで、港らしい雰囲気が今に伝わる。C. A. P.の活動目的は歴史的建築物の保全でも、港町らしい都市景観の保全でもない。あくまでも芸術活動にあるのだが、結果的にまちづくりに貢献した点が実に興味深い。

歴史団体、建築団体だけが、地域文化資源を保全したり活用したりする訳ではないのだ。アーティストも文化遺産経営人材になり得る。筆者は旧国立移民収容所の建物を訪れるたびに、ブラジルなどに渡航した移住者たちに思いをはせる。この建物は貴重な文化遺産あるいは文化資源であり、観光資源や学習旅行に活用できる可能性があると考えられる。実際、近年は多文化共生の教材にもなり、学生たちが訪れている。読者のみなさんにも、ぜひ1度、訪れてほしい歴史的な文化施設である。

※本稿の事例部分は、月刊『公明』2020年12月号に掲載の松本茂章「神戸市中央区・同市立海外移住と文化の交流センター」の原稿をもとに、新たなインタビューを行ったうえで、大幅に加筆修正して全面的に書き直したものである。

注

1）詳しくは博士論文をもとに著した松本茂章『官民協働の文化政策　人材・資金・場』水曜社、2011年、を参照のこと。第5章「神戸 /CAP HOUSEの実験」（155～194頁）においてC. A. P.及びCAP HOUSEプロジェクトについて詳述している。

2）神戸市立海外移住と文化の交流センターには2020年9月26日に訪れ、窪田静磨、川﨑の乃に聞き取り調査を行った。さらに10月5日に神戸で前島須美に、11月5日に京都で下田展久に会い、それぞれロングインタビューを行った。

3）杉山知子には2021年9月21日、神戸のアトリエで聞き取り調査を行った。

4-2　空き家を活用する創造人材たち
―大阪市此花区・梅香地区のまちづくり

松本 茂章

1 古い建物のリノベーション

本稿では古い民家、オフィス、工場の改修等を通じて地域の活性化に貢献する動きを紹介する。近年このような取り組みは「リノベーションまちづくり」と呼ばれる。らいおん建築事務所を主宰する建築家嶋田洋平が著した書籍『ほしい暮らしは自分でつくる　ぼくらのリノベーションまちづくり』（日経BP社、2015年）の出版などを通じて知られるようになった。今や「リノベーションスクール」が全国各地で展開されている。

筆者自身、全国各地を歩いて調査を重ねてきた。たとえば長野市・善光寺の門前町を訪れた際、土蔵などの古い建物を改修してオフィス、カフェ、ゲストハウス等に活用している事例を見た。[注1] 学芸出版社からは大阪市城東区蒲生4丁目における古民家再生の動きを記した和田欣也・中川寛子『空き家再生でみんなが稼げる地元をつくる　がもよんモデルの秘密』（2021年）も出版された。

数多い実践事例のなか、本稿では大阪湾に面した大阪市此花区での動きを紹介する。近年クリエーター人材が集まる注目エリアであるからだ。都心から近い地域にもかかわらず、戦後に建てられて老朽化した木造空き家住宅や工場等が多数立ち並んでおり、手ごろな家賃で借りることができる。クリエーターたちは改修して自宅、アトリエ、工房等を設けて、まちを変身させた。

2 此花区の概要と梅香・四貫島エリア

此花区の人口は6万5304人。同区は注目されるベイエリアである。かつて工場地帯だったが、今や数多くのマンションが立ち並ぶ。テーマパーク「ユニバーサル・スタジオ・ジャパン」（USJ）が開業して国内外から大勢の観光客を集める。同区の沖合人工島では2025年に大阪・関西万博が開かれ、統合型リゾート（IR）の開業も予定される。

同区東部に位置する西九条駅はJR大阪環状線、JRゆめ咲線、阪神なんば線が交差する交通の要衝。USJを訪れる観光客の乗換駅としてにぎわう。同駅から大阪駅まで3駅5分、USJ最寄り駅まで2駅5分、難波駅まで4駅8分と便利である。大阪を代表する繁華街「キタ」と「ミナミ」に近いのに古い低層木造民家が密集する。

梅香・四貫島エリア（以下、梅香地区）は西九条駅から西へ徒歩10分余り。阪神・千島橋駅から徒歩数分。家賃が比較的安価なので、10年ほど前から若い芸術家・クリエーターが集積してきた。

建築家の西山広志と妻の奥平桂子（ともに1983年生まれ）は2011年、梅香1丁目のマンション1室に2人が主宰する建築設計事務所「ノー・アーキテクツ」を構えた。2人は2013年に事務所から徒歩5分の木造2階建て住居（梅香2丁目）を借りて、同市浪速区から転居した。今は長女（2015年生まれ）との3人暮らしだ（写真1）。

転居した木造2階建ての建物は「風呂なし」の空き家物件で、賃貸ながらも改装OKだった。T字路に面して見通しと風通しが良好だったので気に入った。洗濯機置き場に風呂小屋を増設。ユニットバスの壁に富士山やインコの絵を画家に描いてもらった。タイル敷きの和式トイレには洋式の便座を入れた。食器棚は西山の父（書道家）が使っていた本棚を、ダイニングテーブルは奥平の父が愛用していた勉強机を持ってきて活用した。

西山は「コスト面から考えても無駄なものは作らない方が良いと思っている。家具等は必要になったら、その都度少しずつ作り足してきた」と言う。[注2] 事務所は住居に併設されたアパートの1室に移した。

2人は神戸芸術工科大学と同大学院の同級生。学生時代からユニットを組み、建築コンクールに入選して頭角を現した。梅香を初めて訪れたのは2009年のアートプロジェクト「見っけ！このはな」を見に来たとき。人々が暮らしを満喫する下町の風景に感銘を受けた。チャルメラを吹きながら

写真１　作り付けの書棚が印象的なノーアキテクツの事務所と西山広志・奥平桂子夫妻

ラーメン屋台をひく高齢男性、鐘を鳴らして行商する豆腐屋さん…。「昭和の風景がこれほど残されているなんて」と感激して転居を決めた。

大阪市の住民基本台帳人口・外国人人口（2021年9月末現在）によると、[注3)] 梅香1丁目1904人、2丁目1284人、3丁目1966人、四貫島1丁目880人、2丁目1157人である。

3「リミックス・タウン」の試み

梅香地区について西山は「郊外のニュータウン開発のように大きなマスタープランに沿って造成されたまちではない」ところに魅力を感じた。「既存のまちの風景を尊重し、受け継がれてきた生活のリズムに寄り添っていきたい。世間的にはリノベーションというけれど、この言葉は不動産用語だ。価値がないものに新しいデザインを施して新たな価値を付加して高く売って利益を得る。しかし過去を否定してしまえば従来の住民に縁遠い建築物になってしまう」と述べる。

音楽の「リミックス」に注目した。昔の曲をリスペクトしながら「複数の既存の曲を編集して新たな楽曲とする音楽的な手法。新たなリズムや音源を加え、アレンジを変えて時代に合った作品をつくる。時代に合わせてミキシングする」（西山）という。元からあった機能を回復する意味合いの「リフォーム」や、性能を向上させて必要な機能も足して新しい価値に変換する「リノベーション」とも違う。西山は、下町の暮らしのリズムを壊さないように配慮して設計する取り組みを「リミックス・タウン」と呼び、建築や不動産には含まれない、まちの雰囲気、周辺に住む人の生活感を設計に取り込みたいと意気込む。「都心部は消費のスピードが速すぎる。生活のリズムがもっと緩やかで寛容な社会をつくりたい」と言葉を継いだ。すでに梅香地区で10件のデザイン実績を有する。

4 「見っけ！このはな」の開催

少子高齢化の梅香地区に若者が集まり始めた契機は、2008年の此花アーツファーム構想である。関係者によると、地元の土地所有会社が空き家の増加に危機感を抱きコンサルタント会社に依頼して古い住宅に若者が移住できるように図ったという。一環として同年にアートイベント「このはな咲かせましょう」を実施。翌2009年以降は「見っけ！このはな」に改名されて2017年まで続けられた。

最後となった2017年の「見っけ！このはな」は11月3～5日の3日間に行われた。ギャラリー、工房など多様なアートの場が同じ期間一斉に開かれて作品展示・ライブ・ワークショップ・物販等を行った。参加スペースは21か所に達した。点在する会場を紹介する地図やイベント一覧表が配布された。空き物件をめぐるツアー、B級グルメツアー、アートツアーも行われた。此花区民ホールでは10周年記念トークショーも実施された。これをもって同イベントは終了した。最初の数年間は土地所有会社が主導する形だったが、次第に自主的な取り組みに変容。2011年には此花アーツファームの事務局が建築家・大川輝（1977年生まれ）と西山・奥平に引き継がれた。2014年からは実行委員会主催の形態に移行した。

大川は神戸芸術工科大学大学院の修了生で、西山・奥平の先輩にあたる。工務店で修行したので大工仕事ができる。守口市に生まれ育ったが、現代美術家が開いたアートセンター「此花メヂア」に出入りして管理人を務めたことなどから、梅香1丁目に事務所を構える。2012年には梅香1丁目の元煙草店を改修し、仲間らが共同で店舗を出店できるシェアショップ「モトタバコヤ」を開いた。加えて土地所有会社と連携して「風呂なし空き物件」などを見つけ出し、「見っけ！」時などに実施する空き家ツアーで披露。転居を希望する芸術家・クリエーターに紹介してきた。大川は「物件を所有する会社側と借りたい若者との間で適正な価格を調整した」と語る。梅香には銭湯2軒が営業しているので「風呂なし住宅」でも不自由なく暮らせる。大川は改装を手弁当で引き受けるときもあり、若者から「兄貴分」として慕われてきた。

大川による手作り資料（2018年12月現在）によると、これまで活動したクリエーターの延べ人数は192人。2018年3月の同時点では活動中の者が140人、同地区に住民は64人だった。大川や西山の紹介を経ずに、クリエーターらが自主的に不動産を探して転居した場合もあり、活動拠点を構えたり、転居したりしてきた実数はもう少し多いのではないか、という。

5 梅香堂の影響

ギャラリー梅香堂の影響も抜きに語れない。梅香1丁目の倉庫の一角で2009～2014年に開業していた。主宰した後々田寿徳（1962～2013年）は評価の定まっていないアートの展覧会を開いていた。福井県立美術館やNTTインターコミュニケーション・センター（ICC）の学芸員を歴任。大学教員を経て梅香にやって来た。文化庁メディア芸術祭のアート部門審査員も務めた。「僕らの精神的支柱だった」と西山は振り返る。

後々田に強い影響を受けた1人がアーティスト・荒木ミズタマ（1985年生まれ）である。岡山市に生まれ、工業高校を卒業して働きながらバンド活動をしていたが、21歳で大阪に出てきた。次第にサウンドインスタレーションなど美術の世界に入る。「後々田さんは、会うと『無理するなよ』と声をかけてきて、『たまにはいいものを食えよ』と食事をご馳走になった。僕らのやっていることを言語化して各地の美術館の学芸員らに『面白い奴がいる』と紹介してくださった。僕と社会を接続していただいた」と語る。

突然の訃報が届いたとき、立てないぐらい大泣きした。ミズタマは「梅香堂や此花メヂアに通うことで僕自身アートを学んだ。此花は美大のような機能を果たしていると指摘する人もいる」と振り返った。

ミズタマは梅香1丁目の戸建て住宅に入居して妻、娘2人と住む。週3日、地元の生活介護施設で働きながら、自宅隣の蔵を月額2万円で借りて創造空間「FIGYA」を主宰する。廃材をもらい受けて自ら床板を張った。感染拡大の2020年を除いて例年は年間50回程度の事業を自ら企画し開催してきた。実験音楽のライブが多いものの、美術展覧会も年4回実施した。ミズタマは「ほかのギャラリーでは受け入れられないだろうという芸術家、行き場のない若い芸術家を招いている」と話した。

音楽家・プログラマーの米子匡司（1980年生まれ）は、2008年から同市西区の海運倉庫の一角を借りてスペース「FLOAT」を開いていた。事情で立ち退くことになり、2013年に四貫島1丁目に「PORT」を開設した。鉄筋4階建ての建物で2～4階には入居者9人がシェアして暮らす。米子も自ら3階に暮らす。以前、1階ではカフェを開いていたが、現在は楽器制作や録音の場に使う。自身はトロンボーンを吹く。米子は次のように回想する。「安治川のFLOATを訪れた後々田さんは僕の活動を面白がり、『梅香堂で展覧会を開かないか』と誘ってくれた。自動販売機を手作りして展示した」。米子は中学時代からコンピューターで音楽を作曲していた。生演奏と電子音楽を組み合わせた独特の音楽ユニット「SjQ」を結成。オーストリアで開かれた世界的メディアアートの祭典で準グランプリを受賞した。複数のCDを発売し、独、東南アジア諸国に招かれて演奏した経験を有する。

6 表現の場から生活の場へ

このように建築家、写真家、詩人、音楽家、美術家、プログラマー、料理人、ダンサーら幅広い創造人材が梅香地区に移住してきた。転居当初は20～30代前半だったが、このあと年齢を重ね、結婚して子育ての時代に

写真２　此花区梅香にあるマンション１階の１室を改装して設けたスペース「ベランダ」（カウンター内は遠藤倫数さん）

入った。梅香は「表現」の場から「暮らし」の場に移りつつある。

こうした状況のなか遠藤倫数（ともかず）（1983年生まれ）と西山・奥平の3人は19年、六軒屋川沿いのマンション1室を改装してスペース「ベランダ」を開設した（写真2）。西山によるデザインはベランダから地上に仮設階段を設けたもので、顧客は同階段から出入りする異色の構造である。通常の玄関はスタッフ専用とした。そして子ども連れの母親たちが集まりやすい場所にするためスペースの北側を畳敷きにした。

西山は「これまで改修したところはイベント会場、あるいは朝まで飲めるような店として設計したが、段差も多かった。逆にここは赤ちゃんが歩き回っても安全な家族向きの造りを心掛けた」と述べた。西山自身、子育て中であるからだ。コロナ禍の事情で、同スペースは休業を迫られたが、3人は「将来的には地域社会の『ハブ』となり、まちの案内所や情報の集積場になれば…」と期待を込めて話した。

遠藤は仙台で育った。西山・奥平とは大学・大学院の同級生だ。大学院修了後、岐阜のレストランで働いたのち、2人に誘われて梅香に移住してきた。料理が得意で「シェフ」の活動をしたり、建築技術を活かして建物の修復を行ったりする。「ベランダ」では毎週土曜日に「旭町カフェ」を開いていた。遠藤は「梅香には、ユニークな書籍が並ぶ書店が開店したり、いかにも『昭和』的な純喫茶が数軒営業したりして、リラックスできる。とても居心地がいい」と気に入っている。

7 梅香・四貫島エリアからの教訓

このまちの「兄貴」である大川の話によると、創造人材たちは少しずつ地域に溶け込んでいったようである。2009年にはコンサルタントと一緒に地域アートイベント「見っけ！このはな」を企画し、大川と西山がシェアオフィスを構えて仕事場を設けた。2010年には物件を案内するツアーを行い、アトリエでは共同飲み会を始めた。2013年には地域の盆踊りにアーティストが出演した。大川は地元団体の梅香地域活動協議会に入り、総務部会長に就任した。行政や企業が多額の資金を提供して大規模なアートプロジェクトを開いてきた訳ではないところが実に興味深い。クリエーター人材に上下関係はなく、水平的な関係を保つ。一過性でなく、定住の過程は示唆に富む。

これからクリエーター人材がどのように此花区のまちを変えていくのか。興味深く、見守りたい。行政や企業が主導する従来の都市再開発とは異なる可能性を秘めている。

※本稿の事例部分は、松本茂章「大阪市此花区・梅香地区」月刊『公明』2021年8月号の原稿を大幅に加筆修正して、全面的に書き直したものである。

注

1）松本茂章「善光寺・門前町／若者たちによる建物再生の試み」『日本の文化施設を歩く』水曜社、2015年、134～137頁。

2）梅香地区には主に2021年2月から4月にかけて通った。西山広志には2月19日、3月1日、4月10日にインタビューを行った。遠藤倫教には3月1日、3月22日、4月10日に、大川輝には3月1日に、米子匡史と荒木ミズタマには3月22日に、奥平桂子には4月10日に、それぞれ聞き取り調査を行った。

3）大阪市のHP。https://www. city. osaka. lg. jp/shimin/page/0000006893. html（2021年10月3日閲覧）

■ interview ■

公益社団法人日本芸能実演家団体協議会（芸団協）参与

大和滋

1950年、東京生まれ。青山学院大学文学部卒業。1975年、芸団協に採用された。文化事業の企画運営、調査研究業務を経て事務局長、文化芸能振興部長などを歴任。定年退職後、参与（役員待遇）に就任した。現在、東京都文化審議会・文化政策部会委員、文化芸術推進フォーラム事務局長

実演芸術と廃校活用の可能性

──芸団協とは？

1965年に設立され、2012年に公益認定を受けた。幅広い実演芸術分野の団体・スタッフ・制作者等の団体を正会員として、正会員70団体、賛助会員7団体で構成する。芸団協の業務には2つの大きな柱がある。1つには実演に係る著作隣接権者の権利の擁護と公正円滑な利用を目指した実演家著作隣接権センター（CPRA）事業（年間収益約87億円）である。2つには実演芸術の創造と享受機会の充実を図る実演芸術振興事業（年間収益約15億8800万円）だ。さらに実演芸術や実演家を取り巻く環境を改善するために調査研究を行い、関係団体と連携して政策提言を続けてきた。

実演芸術振興事業では、廃校になった新宿区立の旧淀橋第三小学校校舎を借りて、2005年4月に芸能文化の拠点「芸能花伝舎」を開設させた。

──芸能花伝舎の特色は？

新宿区西新宿の高層ビル街の一角にある。JR等の新宿駅から徒歩15分。メトロ丸の内線・西新宿駅から徒歩6分。花伝舎の中に11の創造スペースを設けて稽古、ワークショップ、研修会、会議、撮影、イベント等に有料で貸し出している。さらに芸団協の事務所に加えて落語芸術協会、日本

音楽家ユニオン、日本俳優連合、日本バレエ協会、日本バレエ団連盟など計 17 の団体の事務所が入居。多くの実演家が集まる芸能拠点となった。

新型コロナウイルス感染拡大前の 2019 年度の利用率は体育館 97.3%、平均 87.1%と高かった。利用人数は延べ約 16 万 4000 人余を記録した。感染拡大に伴い 2020 年度は体育館で 70.6%、平均 60.1%に低下した。

──以前はどこに事務所を？

私が採用された当時は港区・新橋のビルの 1 室を借りていた。このあと中央区・銀座のビルに移転。さらに渋谷区・初台に新国立劇場が開設されオペラシティが建てられた際に同シティのビルの一角に入居した。しかし家賃負担が大きいうえ、何より、我々としては稽古や研修等を行える「芸能会館」がほしくて移転先を求めてきた。芸団協設立時からの悲願だった。

使われていない都内の廃校を探した。3 か月間だけ、新橋にあった廃校中学校を試験的に借りて稽古場にしたこともあった。しかしどの区も一様に「暫定利用」は認めてくれるが、長期利用に見通しが立たなかった。実際に候補地に浮上したのは千代田区を含めて 4 か所。港区・六本木と新宿区立淀橋第三小学校に絞られ、芸団協幹部が 2 か所を訪れて視察した。

港区側の反応は、無料で貸せるものの 1 年以上の先行きは見通せない──というものだった。事務所を移転して資料や書類を運んでも 1 年後に退去するならば継続的な運営はできないので断念した。稽古場にするには空調装置を自費で購入して整備するが、短期間ではあまりに効率が悪い。対して新宿区側の反応は、淀橋第三小学校は大学付属高校の仮校舎として使われているが、新校舎の完成後は元に戻るので貸してもよい──というもので、脈があると感じた。賃貸料を払っても長期で入居できればと考えた。

当時の新宿区長は中山弘子さん。都の職員出身で、区として初の女性区長だった。芸団協の活動に理解を示してくださった。我々も、新宿区に本拠地を置くならば区民のために地域貢献したいと希望した。話し合いの結果、2004 年 11 月、同区と芸団協の間で「文化振興協定」を締結。新宿の文化を盛り上げることを盛り込み、廃校校舎を借りることができた。

――契約期間や賃料は？

区と芸団協はじっくりと話し合った。我々は長い契約期間の方が幸いだ。区の方針は当初「1年間」。次第に区財務係長らが理解してくれて「3年間」「5年間」に延び、最終局面で「10年契約」が実現した。幸いだった。

2005年4月に開館した。最初の10年契約は2015年3月で満了した。2015年4月からは2期目の10年契約が結ばれた。賃料は1期目が年間約3900万円。2期目は同約3800万円。建物が老朽化したこと、後述するように芸団協の自己負担で改装工事を行ったこと、などから少し減額していただいた。

初年度（2005年度）は資金調達が可能なのかどうか心配していた。第一に芸団協が耐震補強や内装変更などの工事費1億8000万円を捻出したからだ。内訳は芸団協の自己資産1億円。日本財団からの助成金3000万円。さらに区からまた貸しを了承してもらい、所属の芸能団体に入居してもらったり、新国立劇場の演劇研修所に幼稚園棟を貸したりして家賃収入を確保した。入居団体から事前に保証金計2000万円を受け取り、不足する工事費に充てた。第二に稽古場や会議室等の貸し館業務を行うに当たり、どのぐらいの需要があるか、気がかりだったからだ。自ら稼ぐ必要があった。

1年目は存在を知られていなかったので、元教室や特別教室等を改装したA棟、B棟の稽古場・会議室等の貸し館稼働率は53.9%にとどまった。しかし映画、テレビドラマ、テレビの再現シーン、CM、雑誌等の撮影が可能な「学校現場」を求める要望が予想外に寄せられた。映像を撮影できる学校が都内で少なかった。元校舎を舞台に日本を代表する音楽家のミュージックビデオ撮影が実施され、体育館では新国立劇場、オーチャードホール、東京文化会館など大規模劇場の公演に備えた稽古に使われている。2年目からは花伝舎のことが知られ、稽古場等の利用率がぐんと上がった。

2008年には、芸団協が自己負担で校庭の一角にあったプールを撤去し

写真１（左）　西新宿の高層ビル群に取り囲まれた芸能花伝舎。向かって右側はプールを撤去して建てた新たな稽古場。新国立劇場のバレエ研修所が使う
写真２（右）　2021 年度から始まった芸能花伝舎クラブの風景。子どもたちが浴衣姿で参加していた

てＣ棟を新設。完成後、区に寄付した。私有だと固定資産税が相当かかることを考慮した。Ｃ棟では新国立劇場のバレエ研修所が月曜から金曜までの昼間、二期会のオペラ練習が月曜から土曜までの昼間、恒常的に借りていただいている。固定的な使用団体が確保できたので建設に踏み切ることができた。さらに両者の使わない平日夜と休日は他の団体に貸し出せる。こうして増収に目途がつき、建設費用を借りて建設しても完済できると考えた。

１期目の 10 年契約が終わり、次の 10 年の契約を行う際の 2014 年、再び芸団協が１億円を負担して花伝舎の改修工事を行った。

──地域貢献の活動について

区との協定を尊重し地域住民への貢献事業を展開してきた。毎年５月には芸団協が花伝舎で「こども芸術体験ひろば」を主催。子どもが多様な芸能を体験するプログラムを提供する。延べ 4000 人が詰めかける。加えて都の負担金を得て実施しているのが「キッズ伝統芸能体験」だ。所属団体が講師を派遣して謡・仕舞、狂言、三味線、箏、尺八、日舞などの稽古を行う。2021 年度から文化庁の補助金を得て小４〜中１対象の「芸能花伝

舎クラブ」を始めた。

落語芸術協会は、自らの主催で毎年10月に花伝舎で「芸協らくごまつり」を開き、落語ファンに日頃のご愛顧を感謝する行事を続けている。

──花伝舎の15年余を振り返って、どう感じているか？

プロの実演家にとって公立施設はとても使いづらい。貸出は1日単位が多く、連続使用ができない上に、抽選制なので実際に使用できるかも分からない。しかしプロは本番のために1か月、2か月の長期利用が必要だ。さらにプロの実演家はジャンルが異なっても共通の友人知人がいて、互いに刺激し合う。花伝舎で稽古や会合を開く際に再会し、互いの交流を深める。相互刺激、情報交換はとても大切なものなのだ。こうしたプロ特有の事情は行政職員には分かってもらえない話だろう。

別の面でも学校校舎の利点があった。小学校はだれもが門をくぐったところなので同じ共通意識を有する。花伝舎を訪れると「古里」に戻ってきた気持ちになる。元校舎を活かした講座等の幅広い事業は元学校ならではの取り組みだった。次の10年も借り続けたい。私の代では難しいが、次の世代には全国の実演家が集うことのできる「芸能会館」をつくってほしい。

新宿区に本拠地を設けることができて心より幸いだったと感じている。区の理解に感謝したい。新宿には劇場や寄席などが集まっており、実演団体にとっては、稽古するにも、会合を開くにも好都合だから。

芸能花伝舎の稼働率が高くて部屋が足りない。芸団協や入居団体の会議も花伝舎で開けないほどだ。花伝舎のような創造拠点がもう1つほしいと願っている。

(2021年10月26日インタビュー　松本茂章)

第5章 企業とヘリテージマネジメント

5-1 文化財の保護・活用をめぐる企業と住民の協働
—京都・聴竹居を事例に

松本 茂章

1 民間の近代建築をめぐる保存と継承

国宝や重要文化財に指定された建築物の数はどのぐらいあるのだろうか？　文化庁のHPによると、[注1] 近世以前の分類は2144件。内訳は神社575件、寺院886件、城郭53件、住宅97件、民家358件、その他195件（2021年8月2日現在）である。対して近代の分類は386件で、内訳は宗教31件、住居117件、学校44件、文化施設41件、官公庁舎33件、商業・業務26件、産業・交通・土木89件、その他5件だった。

文化財の価値は一定の歳月を経て認められていくものなので近世以前の指定がどうしても多くなる。明治以降の近代建築物は政府機関の庁舎などの公共建築、大手企業の創業に関わるビル、大学の象徴的な校舎などが保存・継承されやすい。しかし住居となると相続や転売が繰り返される事情もあって保存・継承が難しい面があるようだ。

日本建築学会編『幸せな名建築たち　住む人・支える人に学ぶ42のつきあい方』（丸善出版、2018年）では「ハウジング編」と「ビルディング編」に分けて日本各地の42事例が紹介された。「ハウジング編」では中銀カプセルタワービル、同潤会江古田分譲住宅、求道学舎、あるいは個人の邸宅など19事例に言及している。この1つに京都府大山崎町の聴竹居（ちょうちくきょ）が取り上げられた。竹中工務店が所有する木造平屋の聴竹居は「環境共生住宅の先駆け」として注目され、2017年、国の重要文化財に指定された。企業による保存・継承の取り組みである一方で、地元住民の参画を得て管理する点が興味深い。本稿では異色の文化財マネジメントを展開してきた聴竹居の現状と課題を詳述する。

2 環境共生住宅の先駆けである聴竹居と建築家・藤井厚二

春の嵐が京都府大山崎町の天王山を吹き抜けた2021年5月1日の土曜。筆者は同山麓にある聴竹居を訪れた。大木や竹林を大きく揺らす強い風によって居室には多数の葉が入り込んできた。窓は閉められていたが、地下に埋め込まれた導気口（クールチューブ）を通って葉が入ってきたのだった。新型コロナウイルス感染拡大に伴い通風・換気が求められる現代社会より100年近く前に、温熱環境や空気の循環を強く意識した住宅が建てられていたとは驚きである。先駆性や重要性に気づかされる（写真1、2）。

昭和の建築家の自邸として初めて国の重要文化財に指定された。株式会社竹中工務店（本社・大阪市）が2016年に土地建物を取得し、管理運営を一般社団法人聴竹居倶楽部に委ねている。

天王山は京都・大阪両府の境界近くに位置する。近代になって鉄道が敷かれると、大阪や京都の双方に通える利便性や景観の良さから、同山麓に経済人や文化人が自宅や別荘を建てて移り住んだ。その1人が京都帝国大学工学部建築学科教授だった藤井厚二（1888～1938年）である。自ら設計して1928（昭和3）年に建てた聴竹居は木造平屋の本屋（ほんや）（広さ173m^2）、書斎として使われた閑室（かんしつ）（44m^2）、茶室（33m^2）の3つの棟で構成されている。同倶楽部代表の松隈章（1957年生まれ、竹中工務店勤務）によると「聴竹居は高温多湿の日本に適した住宅として、木造モダニズム建築の傑作とされる建物。将来、世界文化遺産に認定される可能性を有する」のだ。[注2)] なぜなら本屋は日本の暑い夏をいかに過ごすかを考えて、わが国で初めて実現した環境共生住宅である。「世界でも初めてではないか」（松隈）という。藤井は妻や子供たちとともに自ら暮らし、京大に通った。風が吹くと天王山に生育する竹の葉擦れの音を聴いた。

藤井は全国各地の気温を踏まえて日本人の快適温度を「17.78度」と割

写真１　聴竹居の縁側

写真２　三川合流地の絶景を眺めることのできる聴竹居の縁側は柱がなく、全面ガラス張りだ

り出し、高温多湿のなかで換気を重視した。今も現役である導気筒は長さ約12m。崖の下から本屋まで地下に走らせて暑い夏に涼風を導いた。空気は地中で冷やされて室内に届き、温まると天井に設けた排気口から排出されるという循環システムだ。

空気循環以外にも特色を有する。たとえば南向きの縁側（幅6m）は全面をガラス張りにして、桂川、宇治川、木津川の三川合流地の景観を楽しめる。隅には柱を建てず、窓枠を柱替わりにして180度の眺望を確保した。あるいは「一屋一室」を旨として室内は引き戸と欄間により居室、客室、食堂、読書室、縁側をつなげた。衛生面に気配りして調理室はオール電化にした。コンプレッサーを備えたスイス製の冷蔵庫を置いた。

藤井は広島県福山市の造り酒屋に生まれた。東京帝国大学工科大学建築学科に進学して最先端の建築学を学び、卒業後当時は神戸にあり従業員数30数人の規模だった竹中工務店に「学士建築家」第1号として入社。大阪朝日新聞社本社の設計を手掛けた。1919～1920年の9か月間、欧米6か国を視察した。スペイン風邪が大流行したときだった。

藤井は天王山南麓の谷田地区に1万2000坪（1坪＝3.3m^2）の山林を取得、日本人に適した住宅づくりを模索した。いくつかの住宅棟を実験的に建てた。最後に建てた5回目の住宅が聴竹居である。環境工学の先駆者でありながら、戦前に夭折したので功績が次第に忘れられた。土地は次第に譲渡され、約1200坪の敷地と聴竹居が唯一遺された。

3 運営を担う一般社団法人聴竹居倶楽部

聴竹居は京都府指定文化財や同町指定文化財ですらなかった。2008年に設立された任意団体の聴竹居倶楽部が限定的に公開していた。脚光を集めるようになった契機は2013（平成25）年6月24日である。この日当時の天皇皇后両陛下の行幸啓が行われた。同年1月、聴竹居を紹介したNHK番組「美の壺『新春　邸宅スペシャル』」の放送をご覧になられ、ご見学を希望された。行幸啓の当日、両陛下は聴竹居の縁側の椅子にお座りになって三川合流地のパノラマを楽しまれ、先導役を務めた松隈の説明を興味深くお聞きになられた。松隈は「当時は地元の方にも存在が知られていなかった。行幸啓が行われた建物として、将来的に残していかなければならない使命を負うことになった」と振り返る。

竹中工務店は藤井家側から土地建物を取得。2016年12月に所有権移転を完了した。府と町による文化財指定の手続きが始まり、翌2017年7月、国の重要文化財に指定された。異例の早さだった。所有者変更に伴い同倶楽部は任意団体から一般社団法人になり、所有者（竹中）と覚書を交わして業務委託契約を結んだ。定款には見学者対応業務の継続に加えて建物や庭の維持保存、地元との連携、建築をめぐる文化・教育の普及、地域振興等をうたった。藤井厚二の調査研究事業を行うことも明記された。

一般社団法人の社員は松隈と竹中工務店社員（不動産鑑定士）の2人。役員（理事）は松隈と同社総務室員、近隣住民の3人。現地スタッフは20人。内訳は見学対応スタッフ（有償ボランティア）16人、支援スタッフ2人（無償）、事務局2人（固定給）、文化財担当1人（固定給）である。見学に対応するガイドの多くは近隣住民が務める。

入館料は一般1000円、学生・児童（小学4年生以上）500円。公開を始めた2008年の来館者は847人にとどまったが、任意団体最後の2016年は3454人に。法人化後の2017年には1万508人、2018年には1万533人に増えた。公開以外にも催しを行い、コンサートを開いたり、美術作品展を開いたりしてきた。

2020年5月から本屋保存修理工事を行うために一般公開を中断。同工事を終えて翌2021年3月14日から再開館した。再開後の来館者アンケートによると、全体の63%は女性だったと分かった。年代別では40〜50代が47%、20〜30代が34%。関東からの来訪が全体の13%を占めていた。

同倶楽部の資料によると、コロナ禍以前には業務委託費が800万円余り、入館料およびイベント開催や関連グッズ物販（書籍・絵葉書・一筆箋等）などの自主事業収入が500万円弱で、年間約1300万円の財政規模だった。公開は月曜休館。ホームページ等で受け付ける通常来館者（水曜・金曜・日曜）の入館収入は同社が受け取り、大学のゼミ学生等の視察者（火曜・木曜・土曜）の収入は倶楽部に入る。「土曜の催しを活発にしたい」と松隈は話した。建物の傷みを考えると年間1万人の来訪者（招待者を含む）が限界なので、販売可能な新たなグッズづくりが求められる。

4 所有するのは竹中工務店

総合建築会社（ゼネコン）の竹中工務店は織田家の普請奉行をルーツとする。1610年に名古屋で創業。宮大工の流れをくみ「棟梁精神」を受け継ぐ。1899（明治32）年に神戸に拠点を移して西洋建築に挑んだ。なぜ聴竹居を取得したのだろうか？　話は1995年の阪神・淡路大震災にさかのぼる。西宮市・甲東園にあった貴重な洋館に被害が出て、愛知県犬山市の博物館・明治村に移築保存される計画が浮上したとき、建物の実測調査が必要になった。話を聞いた同社大阪本店の設計部有志他が休日を返上してボランティアで実測作業を引き受けることに。この一員だった松隈は北海道大学・建築工学科を卒業後に入社。この実測調査を通じて、会社の大先輩に藤井がいたこと、自邸・聴竹居のことを初めて知った。三重県立美術館の学芸員から企画を相談された際、聴竹居の展示を提案した。そこで翌1996年7月に初めて聴竹居を訪れ、展示に協力した。「80代の女性が所有者の藤井家から借りて一人で暮らしていた」(松隈)。この女性が1999年に亡くなったのち、2000年に設計部有志が実測調査。その後、「公開」を条件に定期借家契約を交わし、2008年、任意団体の聴竹居倶楽部(6人)を発足させた。代表には松隈が、副代表には町職員が就任した。当時を知る関係者は「松隈さんの吸引力で人々が集まった」と振り返る。

建物は老朽化していくが、任意団体では取得する資金がない。財政難の行政も購入する余力がない。閉塞感が漂ったときに両陛下の行幸啓が行われた。松隈は勤務先である竹中工務店の幹部に同社の設計組織の基礎を築いた藤井の代表作・聴竹居を、同社の周年記念として、文化的事業の一環で取得できないかと打診を続け、熱情がついに認められた。松隈は2018年3月に定年を迎えたが引き続き会社に残り、設計本部と経営企画室CSR推進部を兼務する。

同社は創立120周年の翌2019年、聴竹居に対する取り組みを理由に、企業メセナ協議会から企業メセナ大賞を受賞した。優れたCSR活動(企業による社会的責任)として評価された。松隈は「独特の社風を有する竹中工務店だからこそ取得を認めていただけた」と打ち明ける。同社はゼネコン大手5社のうち唯一「建築専業」で土木部門を持たない。従業員7741人のうち一級建築士は2407人(2021年1月)。「建築大好き人間が集まってくる会社」(松隈)だ。非上場で、創業家を中心にした家族的経営であるとされる。新入社員は全員、神戸市内の社員寮に1年間暮らす。「同じ釜の飯を食べる。建築職や事務職を超えて、みんなが顔見知りになる」(松隈)。2021年秋からは新入社員全員が聴竹居を見学。地元スタッフと松隈が案内し、大先輩の「作品」を見て、同社の歴史と企業の想いを感じ取ってほしいと願う。

近年、聴竹居の整備が所有する同社によって続けられている。大阪府北部地震や台風に見舞われた2018年度には災害復旧工事(国庫補助金1500万円。補助率70%)を、2019〜2021年度の3か年は保存修理工事(国庫補助金予定計約1億円。補助率50%）を実施。2021年度には解体した茶室の組立を行っており、2022年春に完成予定だ。防災施設の整備も進む。

5 聴竹居倶楽部の人々

竹中社員で占められる倶楽部の社員・役員のなか、唯一、住民代表として理事に加わるのが田邊均（1953年生まれ）である。田邊は藤井厚二が亡くなったあと、未亡人から土地を譲ってもらって移り住んだ第1号の住民。父は大阪市の会社に努め、服飾デザイナーだった母は京都市でデザイン研究所を経営していて、双方に通勤可能な天王山山麓を住まいに選んだ。田邊の回想。「当時は小学4年生。藤井先生の3回目の住宅がまだ隣に建っていた。辺りには大木が生い茂っており、スタジオジブリの映画に登場する『トトロの森』のようだった。学校から戻ってくると『森に守られている』との安心感があった」。1980年代、天王山を開発する話が浮上した際、自然を守る住民団体が設立されて田邊の母が先頭に立った。

田邊は子ども心に自宅を新築する現場での大工の丁寧な仕事ぶりを見て感銘を受けたといい、大学の建築学科に進学した。同倶楽部が立ち上がると、自ら案内ガイドに名乗り出た。法人化後の2017年1月、事務局長に就任。2020年から理事に就いた。「我々は年齢を重ねていくので、次は子どもや孫の世代に聴竹居を引き継ぐ」と決意している。そして「竹中さんの英断に心から感謝している。所有者としてきちんと維持・保全され、地元の自主的な活動を応援する姿勢を続けていただきたい」と話した。

田邊は「事務局長は管理人みたいなもの。火災など急なことがあれば、深夜でもすぐ駆け付けられる近隣住民が務めるべき」と考え、後任の事務局長には自宅向かいの富永健司（1954年生まれ）を推薦した。富永は高校3年生のとき、父が土地を取得して自宅を建てた。大学の工学部を卒業後、電器メーカーに長く勤め、定年を迎えた。「ご近所のテニス仲間」の田邊から誘われ、2014年ガイドに加わった。「重文に指定されるほど価値ある建物とは知らなかった。デザインと機能面が一体になった設計が素晴らしい」と魅力を話し、エンジニアの視点から来館者を案内する。

同倶楽部の文化財担当、寺嶋千春（1957年生まれ）も魅せられた1人だ。大学の史学科を卒業。大山崎町生涯学習課で長く文化財保護を担当し、聴竹居の重文指定に関わった。2018年3月末に定年退職後、4月から倶楽部の一員に加わった。同年7月、町内すべての国指定文化財所有者から賛同を得て「大山崎町重要文化財ネットワーク」を設立。事務局長に就いた。合同で見学会や講座を開く。藤井の遺した文書類をもとに「藤井厚二アーカイブス」の整理も任されている。「調査が進めばぜひ公開したい」と笑顔で話した。

倶楽部の底力を示す逸話がある。2018年6月18日の大阪府北部地震の直後、電車が止まり、竹中工務店の社員も、神戸に自宅のある松隈も、駆け付けられなかった。「管理人」を自負する田邊が急いで聴竹居に出向くと「だれに頼まれた訳でもないのに、近隣の方々が駆けつけて、割れたガラスや落ちた土壁などを片付けていた」。田邊は感激した。

6 聴竹居から得られる教訓

大山崎町は人口1万6079人（2021年10月1日現在）。京都府内で最少面積なのに国宝1件、国の重文13件、史跡2件が存在する。文化資源が豊かなまちだ。中世の大山崎は堺と並ぶ「自治都市」だった。荏胡麻油製造の中心だった離宮八幡宮があり、同油製造・販売の特権等に寄せて、室町幕府の将軍から「独立性」を認められた。大阪府島本町の京都寄りも「山崎」という地名で、山城・摂津の国境を超え1つの大きな「まち」だった。裕福な商人により文化が保護され、文化サロンが生まれた。聴竹居には往時の自治都市や文化サロンのDNAが引き継がれているように感じられる。だからこそ理事の田邊は「藤井先生がご生存なら敷地のなかに学校やアトリエを設けて新しいムーブメントをつくろうとされたはず」と述べ、聴竹居を文化的なコアにして文化人や芸術家らが育つことを夢見る。

2019年に施行された改正文化財保護法では、過疎化や少子高齢化等に伴って文化財の担い手が不足するなか、自治体や地域が「総がかり」になって文化財を継承していく態勢づくりが求められている。企業と住民が参画する一般社団法人で聴竹居を活用する手法は参考になるだろう。

文化遺産経営の視点からも熱い視線が注がれる。1つには企業は文化遺産経営の重要な担い手である。2つには歴史的建造物の所有者だけでなく、近隣住民との連携が求められる。3つには維持・管理していくためには文化遺産を取り巻く人々の熱情こそが欠かせない。貴重な事例である。

※本稿の事例部分は、松本茂章「環境共生住宅の先駆けとして注目される『聴竹居』」時事通信社『地方行政』2021年6月21日号の原稿をもとに、加筆修正したものである。

注

1）文化庁HP。https://www. bunka. go. jp/seisaku/bunkazai/shokai/yukei_kenzobutsu/uchiwake. html （2021年10月18日閲覧）

2）筆者は2000年10月から2021年5月にかけて計6回、聴竹居や大山崎町役場を訪れた。松隈章には主に2020年10月6日、11月9日、2021年5月1日などにロングインタビューを行った。田邊均には2021年5月16日に、富永健司には2020年10月6日、11月2日、2021年5月1日に、寺嶋千春には2020年11月2日に、それぞれ聞き取り調査を行った。

5-2　洋館が保存・継承され、まちの文化拠点に
—大阪・船場の青山ビル

松本 茂章

1 民間の近代建築をめぐる保存と継承

1996年の文化財保護法改正に伴い、国登録有形文化財制度が新設された。保存及び活用の措置が特に必要とされる文化財建造物について文部科学大臣が文化財登録原簿に登録する。登録文化財制度は所有者が自主的に保存・活用するために緩やかな保護措置で継承を図るものだ。

従来の文化財指定制度では重要なものを厳選し、許可等の強い規制と手厚い保護を行ってきた。国宝や重文等には強い規制があり、補助金が支出されるが、対して登録文化財制度は従来の制度を補完するものである。

文化庁のHPによると、[注1] 2021年現在の国登録有形文化財（建造物）は全国で計1万3276件。都道府県別でみると、最も多いのが大阪府の779件。次いで兵庫県の737件、京都府の618件、長野県の587件、愛知県と新潟県の各539件と続く。人口の集中する首都圏1都3県の場合、東京都416件、千葉県300件、神奈川県284件、埼玉県195件である。人口の多さと登録有形文化財の登録数が正比例する訳ではないことが分かる。最も少ないのは沖縄県の83件である。今後も毎年600件程度が増えていくとみられている。

登録するといくばくかの支援がある。後述する大阪府登録有形文化財所有者の会によると、1つには建物部分の固定資産税が2分の1になる。2つには相続の際、土地と建物両方の固定資産税が30%減免される。3つには建築士が補修工事を設計監理する場合、国が費用の一部を負担する。しかし古い建物は減価償却されているので、同税が半額になっても大きな利点はない。土地は対象外なので敷地の広い旧家での恩恵は小さい。民家の補修費は多額でなく建築士に設計監理を依頼するケースは多くない。

結局、登録文化財の維持管理は行政からの補助金に頼らず、所有者や借

主の自主的な努力に委ねられる。文化遺産への熱情次第なのだ。何より同制度は活用を前提とする点が興味深い。保存・継承に向けた不断の努力が要請される。このため、登録有形文化財をめぐる保存・継承は文化遺産経営を考える際に、絶好のバロメーターと位置付けられる。このため本稿では登録有形文化財に注目する。なかでも全国最多の大阪に焦点を当てる。大阪の中心部に位置する船場地区の商人がいかにして築100年の洋館を今に伝え、いかなる活用を行っているかの実例をみていく。

2 登録有形文化財の最も多い大阪府

大阪府がなぜ全国1位であるのだろうか？　関係者の話を総合すると、大正末期から昭和初期にかけての大阪市は「大大阪の時代」といわれた。東京より人口が多く、日本最大の都市だった。裕福な実業家や商人らが優れた建物を数多く建てた。首都・東京は都市開発圧力が強く「つくっては壊し、壊してはつくる」を繰り返してきたが、戦後の大阪では東京ほど経済活動が活発ではなかったので、比較的残りやすかった面もある。あるいは大阪商人の心意気から所有者が自らの建物に愛着を抱き文化遺産の継承に努めてきたこと、大阪府教育委員会文化財課の担当者が登録に熱心だった経緯など、多様な要因が考えられる。

登録有形文化財の所有者が集まり、2019年6月22日、「国登録有形文化財全国所有者の会」（全国登文会）を発足させた。9都府県の所有者の会が加盟する。全国組織化の動きも大阪が先導した。大阪では2005年に所有者の会が全国で初めて設立され、活発な活動を繰り広げてきた。

全国登文会の会長は本書インタビューに登場する寺西興一で、事務局長は本稿で紹介する青山修司である。全国組織の会長・事務局長に大阪人が就いたことは、大阪が文化遺産の保存・継承に熱心である証であろう。

大阪では伝統的な建築物を一斉に公開する事業「生きた建築ミュージアムフェスティバル大阪」が行われている。毎年秋、船場などの大阪都心で展開される。ロンドンで始まった事業「オープンハウス・ロンドン」を参考に、大阪の建築家有志らが始めた。この事業も登録有形文化財の先進地・大阪らしい動きであろう。本書第2章3節を執筆した髙岡伸一（近畿大学准教授）が実行委員会事務局長を務めている。

3 ツタに覆われた洋館の青山ビル

明治の実業家・五代友厚の像が置かれた大阪証券取引所ビルそばの地下鉄堺筋線・北浜駅6番出口から堺筋を南に歩いて1分。スペイン風の外観をした洋館「青山ビル」（大阪市中央区伏見町）が見えてくる。[注2)] 甲子園から譲り受けた深い緑のツタが外壁を覆う建物は鉄筋コンクリート造り5階建て延べ1256m^2。1921（大正10）年の完成なので100年の歴史を有する（写真1)。外壁にはテラコッタ製の装飾が施され、内部の天井梁には漆喰彫刻でつくられたブドウの装飾もみられる。ガラス窓はイタリア製ステンドグラスである。計26のテナントが入居。設計、デザイン、ゲームの会社、弁護士事務所、書画作家アトリエなど文化的な店子が目立つ。かつて俳人の山口誓子が主宰した天狼俳句会、脚本家・小説家の花登筐が率いた劇団・笑いの王国（大村崑や芦屋雁之助らが所属）なども入居していたそうだ。1997年に国登録有形文化財となった。照明装置5基を備え

写真1　青山ビルのツタは甲子園から譲り受けたものだという

て外壁をライトアップ。四季ごとに色を変える。春は薄緑、夏は青緑、秋はオレンジ、冬は白に映える。

大阪住宅株式会社が管理する。専務の青山修司（1974年生まれ）は3代目オーナーだ。太平洋戦争中に祖父の喜一が実業家の邸宅を取得した。当時から電気、水道、ガスが備わっていた。修司は「空襲に焼け残ったビルだけに目立ち、GHQが注目した。接収は免れたものの、将校の社交場に活用された」と話した。「2018年の台風でステンドグラスの一部が割れ、米仏から輸入した」（修司）という。悩みは年々高くなる補修費、そして何よりも補修できる職人がいなくなってきたことだ。

4 青山家による継承

初代の喜一は滋賀県出身。修司によると、神戸高等商業学校を卒業後、三菱商事に入社。中国山東省青島で支社長を務めた。傍ら個人で化学薬品、羊毛等の輸入を手掛けて財を成した。複数の語学に通じた。息子で2代目社長の正美（1941年生まれ）は幼少期に同ビルで暮らした経験を有する。当時はGHQの将校クラブ。地下1階はダンスホールで、ミラーボールが回っていた。蓄音機でSPレコードが鳴った。3階はビリヤード室だった。屋上の洋風庭園で同クラブ従業員に遊んでもらった。それだけに愛着は深い。正美は「父から受け継いだ建物を後世に残すべく、税理士と相談のうえ、家族で話し合った。相続で散逸しないよう、建物は次世代である長男の修司に生前贈与した」と述べた。ビルの運営は順調で同社は無借金経営という。

修司は神戸大学大学院法学研究科に進学して研究者を志向していたが、祖父の死去を経て前期課程修了後に家業を継いだ。宅地建物取引士、賃貸不動産経営管理士の資格を取得。国登録有形文化財全国所有者の会（全国登文会）と大阪府の同組織の両事務局長を引き受けている。

大阪は国登録有形文化財（建築物）の宝庫なのだ。2021年6月現在、全国1万2966件のうち、大阪府の765件は全国最多である。修司は「戦前の大阪は東京より人口が多かった。経済的に豊かだったので鉄筋コンクリート造りの洋館が建てられた。関東大震災の教訓から防火扉を備えていた。このため空襲の焼夷弾にも耐えた」と振り返る。船場の一部が奇跡的に戦災に遭わなかったことも一因だ。

船場を中心に歴史的建築物を一斉に無料公開する「生きた建築ミュージアムフェスティバル大阪」が2013年以降、毎年10月の2日間に実施されている。青山ビルも参加。普段は閉まる日曜も公開して建築ファンを案内する。2019年の来訪者数第1位は3738人の青山ビルだった。修司は「入居者の協力のおかげ。各店舗がプレイベントを催して盛り上げてくれた。建物は愛されて初めて保存する気持ちになる」と笑顔で語った。修司自身、プレ行事として劇団「G-フォレスタ」と連携した「洋館ミステリー劇場」を開催。劇団員が大正や昭和初期の服装を着てロビーや廊下を移動しながら演じる。2階応接室では刑事の取り調べを実演した。「建物が醸し出す時代性と合致した演劇を披露する」（修司）趣向だ。

5 上方芸能の支援

地下1階はフリースペース「北浜RONDO（ロンド）」。エスペラント語で「仲間」。英語で「輪舞」の意味である。中華料理店と麻雀店が営業していたが、麻雀店の退去後、2019年に開設した。ダンスホールだった歴史を踏まえて、新たな入居者を求めず、文化芸術を育てるために使おうと決めた（写真2）。志が一致する知り合いに有料提供。月に8～10回ほど使用される。修司は「僕自身、幼少時からピアノ、声楽、尺八を習い、なかでも尺八は大学院まで続けた。新進・中堅の文化人が思いのままに使える場が実に少ない。ここから発信していきたい」と述べた。ワークショップ「能meets（のうみーつ）」が開かれる際には自らが受付を務めている。

同ワークショップは能楽師観世流シテ方の林本大（1977年生まれ）が主宰する。いきなり能を見ても初心者には理解しがたいので、歴史や初歩的な知識、世阿弥の教え、能面や能装束の紹介、実演を交えた曲の解説を

写真２　青山ビル地下１階のロンド（右は青山修司さん）

行う。30席ほどのいすを並べてアットホームな雰囲気で進める（コロナ禍では客席を制限）。2018年に同ビルの空室で始め、ロンド誕生の2019年以降は毎月１回のペースで継続する。平日の午後７時から実施し、各回25人ほどが集まる。林本は「能面や扇などを持参してご覧いただくと大変喜ばれる。大阪の都心なので交通の便が良く、建物の雰囲気もシック。音の響きも良くて能にふさわしい場所」と述べた。最近は稽古の場にも活用するようになった。林本も加わる上方伝統文化芸能ユニット「霜乃会」（講談、落語、浪曲、文楽、能楽、茶道、華道）もここで定期的に活動する。

修司と林本は大阪青年会議所（JC）の先輩後輩の関係である。林本の紹介を得て修司は若手・中堅の舞台芸術家たちと知り合っていった。劇団「空晴（からっぱれ）」代表の岡部尚子（1974年生まれ）もその１人。林本の活動を手伝っていて修司と知り合い、地下１階を使えるように。岡部は2021年４月22～25日、地下１階で演劇ワークショップを開催した。２人劇の脚本を用意して参加者に読み上げてもらった。白と水色のパーカーを着た岡部は「脚本に書かれていない行間を読んでみよう」「このセリフをなぜ語るか動機を感じてみて」と指導した。岡部は兵庫県加古川市から大阪に出てきて演劇の世界に入った。NHK朝の連続テレビ小説「スカーレット」（2019～2020年）では主人公（戸田恵梨香）の実家近くの主婦「森妙子」役で出演した。

林本や岡部は「最近の公民館はとても予約が取りにくい。大声を出すと隣室から苦情が出ることもある。それだけに地下1階にあるロンドは本当に有難い場所」と評価した。盛んに文化事業を実施する理由について修司は「ビルの価値を上げたい。建物が老朽化したり、設備が古くなったりすれば家賃は安くなる。しかし建物自体が有するストーリーがあれば老朽化を補える。設備が古くなるハンディキャップは、建物の文化的価値が認知されれば克服できる。建物の知名度が高まればメディアが取り上げてくれる。店子にとっても宣伝広告料が不要になる」と解説。経営者の顔を見せた。

6 「薬のまち」に生きて

伏見町の1つ南側が道修町（どしょうまち）。さらに道修町の1つ南側が平野町。これら3町には現在も薬関連の会社が集中し、武田薬品工業、塩野義製薬などのオフィスが立ち並ぶ。江戸時代、薬種屋仲間が中国輸入薬の検査を幕府から委ねられたことから、薬流通の中心地だった。薬のまち・道修町の通りに面した少彦名（すくなひこな）神社は「薬の神様」として知られ、南北で青山ビルと隣り合う。神木のクスノキと青山ビルのクスノキは兄弟木だ。宮司の別所賢一(1972年生まれ）は「修司さんとは同世代なのでウマが合う」と言い、船場のまちづくり仲間である。

同神社の本殿・幣殿・拝殿は1910（明治43）年に建てられ、国登録有形文化財である。大阪府登録文化財所有者の会が2005年に全国で初めて設立された際、同神社の社務所で会合が開かれた。

同神社には江戸時代からの古文書が伝わり、1997年、「くすりの道修町資料館」を社務所ビル内に開設、月曜～金曜に開館してきた。このあと複数の企業が図書資料館や史料展示スペース等を設けた。別所は「ミュージアムストリートになってきた。『いのち輝く未来社会のデザイン』をテーマとする2025年の大阪・関西万博の際、薬のまちに国内外の来訪者を迎え入れたい。第2の万博会場になれば」と期待する。現状では平日開館なので、「多くの方に散策を楽しんでもらうためには、資料館や展示スペース等を休日開館に変更しなくては」と提言した。

船場は川に囲まれた南北2.1キロ、東西1.1キロの地域。豊臣秀吉が城下町づくりの際に有力商人を集めた地域で、大阪の「真ん中」である。青山ビルが位置する伏見町は伏見（現在の京都市）から商人が移ってきた。修司や別所の話によると、船場は北、中、南の3地区ごとに多数の団体がまちづくりを試みてきた。包括的な団体「船場倶楽部」が2015年に設立され、情報交換や行事日程調整を図り、一体感を強めているという。

修司は「船場の商人は能をたしなむなど文化人だった。商売繁盛に加えて文化面でも船場が大阪をけん引していく」と意気込んだ。

7 登録有形文化財をマネジメントするために

青山ビルの事例から浮かび上がってくる教訓はいくつもある。ここでは主に4つを挙げてみる。

1つには、所有者の青山修司が不動産資産の価値上昇に尽力してきた点を強調したい。評判の店舗を入居させたり、レトロな建物を活かした演劇を披露したりするなどの努力を重ねた。冒頭に紹介した「生きた建築ミュージアムフェスティバル大阪」で2019年度の入場者第1位に躍り出たのは、入居者も協力して各種のプレイベントを行い、話題を集めた賜物だ。保存・継承だけでなく、経済人の力量を発揮した。

2つには、相続問題である。青山ビルでは父から子に生前贈与された。歴史的な建物が残らない理由の1つに相続問題が挙げられる。建物が壊されて更地になり、売却してから遺産を相続するケースがよくあるからだ。相続税を巡る現状と課題については本書第2章第4節で高島知佐子が言及している。

3つには、伝統芸能の普及事業が地下1階の「北浜ロンド」で展開されている様子も興味深い。「有形」である建物の保存・継承にとどまらず、「無形」の文化遺産の魅力を伝えるために活用されているからだ。本書では有

写真３　青山ビルのクスノキ（中央）と少彦名神社の神木である
クスノキは兄弟木という。

形・無形のバランスを図ることが大切であると指摘してきたが、青山ビルは典型的な事例である。

４つには、立地する土地柄にふさわしいことが魅力的だ。北浜あるいは船場という大阪を代表する地域にある限り、船場文化とは切っても切り離せない。貴重な建物が１つだけ保存された状況ではなく、周囲にはレトロな建物が守られている。南側にある「薬の神様」と連携しながら、〈船場のまちづくり〉に貢献するさまが実に好ましい。「文化で地域をデザインする」取り組みにふさわしい事例であると受け止めた。

（全国登文会の会長である寺西興一のインタビューは本書 72 ～ 77 頁に掲載した。青山ビルの事例と合わせてお読みいただきたい）

※本稿の事例部分は、月刊『公明』2021 年 8 月号に掲載された松本茂章「大阪市中央区・船場の青山ビル」の原稿をもとに大幅に加筆修正したものである。

注

1）文化庁HP。https://www. bunka. go. jp/seisaku/bunkazai/shokai/pdf/93515301_05. pdf（2021 年 11 月 11 日閲覧）

2）青山ビルには 2021 年 4 月 24 日と 4 月 26 日、5 月 29 日に訪れた。青山修司には 4 月 24 日と 4 月 26 日に、別所賢一、林本大、岡部尚子には 5 月 29 日に、それぞれ面会してインタビューを行った。

5-3　ホテル企業が指定管理者として「お城」を運営
―掛川城における指定管理料「0円」の試み

松本 茂章

1 指定管理者制度の導入

全国各地の文化施設を調査してきた筆者から見るとき、巧みに経営を行うことで成果をあげてきた文化施設とそうでない文化施設との格差が広がってきたとの印象を抱いている。背景には指定管理者制度の導入があると考えられる。この思いから松本茂章編『岐路に立つ指定管理者制度　変容するパートナーシップ』（水曜社、2019年）を出版した。

指定管理者制度とは何か？　2003年の地方自治法改正に伴い「公の施設」の管理運営が民間にも開放された新制度である。同法に基づく「公の施設」とは博物館・美術館、文化会館、図書館、国際交流施設、男女共同参画施設、福祉施設、病院、競技場、体育館、プール、駐車場…など広く住民に利用される施設を意味する。地方自治法第244条では「普通地方公共団体は、住民の福祉の増進をもってその利用に供するための施設（これを公の施設という。）を設けるものとする」と規定されている。

同法改正以前、「公の施設」の管理委託可能な団体は公共団体、公共的団体、地方公共団体が2分の1以上出資する法人に限定されていた。同法改正で指定管理者になり得る主体は「法人その他の団体」と明記された。直営や自治体設置財団に加えて企業、事業者、地域団体、NPO法人、法人格を有しない団体などが管理運営に参画できるようになった。指定管理者は施設使用許可等の行政処分も委ねられた。従来の行政「委託」とは異なる。旧態依然とした「ハコモノ行政」から転じて「いかに施設を活用するか」が急務に浮上した。

自治体財政事情が厳しさを増すなか、同制度導入は「コストダウン」と位置づけられがちだが、制度の本質は行政と民間がいかに協働できるのかを問いかけるものだと筆者は受け止めている。文化遺産マネジメントを考える本書で、指定管理者制度に言及しない訳にはいかないと考えた。

本稿では静岡県掛川市の掛川城を取り上げる。理由は主に3つある。1つには木造天守再建の先駆けであること。2つには市民らの寄付で建設資金が賄われたこと。3つには指定管理者に地元のホテル経営会社が選定され、市からの指定管理料は「0円」の異色事例であることからだ。[注1)]

2 掛川市と掛川城の概要

掛川市の人口は11万6569人（2021年9月現在）。戦国武将・山内一豊が治めた城下町だった。現在も東海道新幹線や東名高速道路の走る要衝である。お茶の名産地としても知られる。

掛川城の天守は江戸時代末の地震で崩れ落ちたので、同市は1993年、3層4階建て掛川城天守を再建した。本格的な木造天守の再建は全国で初めて。青森産ヒバ材1200石を用いた。天守は海抜72mで見晴らしが良い。新幹線の車窓からも見え「まちのシンボル」である。

一豊は関ヶ原の戦功によって土佐に移封され、新たな城を築く際「天守は掛川の通り」と命じた。高知城は江戸期の天守が残され国重要文化財である。このため掛川城天守の再建時には高知城天守を重要な参考資料の1つにした。屋根の上のシャチホコも高知のものを模した。

天守の総工費は約11億円。うち寄付は計9億7000万円に達した。市が「生涯教育のまちづくり」を進めていた際、共鳴した東京の女性が掛川市に移住。1億5000万円の寄付を申し出た。これが契機となり天守の再建計画が持ち上がった。天守再建に加えて新幹線・掛川駅建設を請願した際には市民や企業・団体から30億円が寄せられた。JR在来線・掛川駅木造駅舎を保存するための耐震化工事にも寄付金6800万円が集まった。

3 異色の指定管理者

同市は2013年度に掛川城の指定管理者を公募。ホテル等を経営する企業3社で構成される「掛川城管理運営共同体」を選定した。契約は2014

年度から10年間。指定管理料は「1年目1200万円」「2年目600万円」「3年目の2016年度から2023年度までの8年間は『0円』」とする提案がなされたので、従来に比べて年間約3000万円の指定管理料が軽減された。

共同体を構成する掛川グランドホテル総支配人、上田武（1966年生まれ）が指定管理料「0円」の申請を主導した。[注2)] 客室93、宴会場、レストランを有する同ホテルを率いる上田は「10年間、掛川城の運営を任せていただければ自分たちで稼ぐので、指定管理料はなくても大丈夫」と提案した。

共同体は天守、国重要文化財に指定された二の丸御殿（1861年）、二の丸茶室、竹の丸の4か所を管理する。天守・二の丸御殿の両施設は入館チケット（大人410円）が共通である。

指定管理料が「0円」なので、自らで稼ぐことに懸命である。1つには重文・二の丸御殿で結婚式を挙げられる。和装の挙式で「お殿様」「お姫様」気分になってもらい、同ホテルに戻って披露宴を実施する。2つには夏に天守閣真下の本丸広場（写真1）でビアガーデンを開業した。3つには城北側に位置する竹の丸を積極的に活用した。家老の屋敷跡で、地元豪商が明治や大正に建てた邸宅と庭園が残される。指定管理者選定後は夜間営業を始め、団体客を誘致した。ガス管が敷設されておらず、800万円のキッ

写真1　ビアガーデンを営業できる天守閣下の広場

チンカーを購入、食材とコックを送り込んで駐車場で調理して温かい料理を提供した。

同共同体が管理運営するようになって以降、城内の4施設の入場者数、売上額、営業利益は上昇傾向にあった。天守・御殿の入場者は初年度（2014年度）の11万7374人から2017年度には14万8868人に伸びた。売上額も初年度の6569万8000円から2017年度には7438万7000円に増えた。

ところが新型コロナウイルス感染拡大に伴い、2019年度末～2020年度には来訪者が減少、臨時休館も行った。相当落ち込んでいると思って総支配人の上田武に面会すると、笑顔で「指定管理者の選定は本当に幸いだった」と語った。上田によると、観光客やビジネス客の急減は同ホテルも例外ではなかったのだが、指定管理者業務に参入して多角経営を図ったおかげで「うちのホテルの売上は比較的減少幅が小さい」と話した。指定管理業務の2020年度決算をみると「85万1000円」の経常黒字だった。休館に対する休業補償が行政から支出され何とか赤字を免れた。

共同体は経費節減に努めた。樹木の剪定、草むしり、障子の張り替え等は極力従業員自らが行い、業者発注を抑えた。上田は「イベント開催の自粛が痛かった。しかし江戸時代末期に建築された二の丸御殿はもともと風通しが良く、結婚式のキャンセルが比較的少なかったのは幸いだった」と振り返る。緑豊かな城内の散策は入場券が不要なので、来場者をカウントしていないのだが、「感染拡大期には空気の良い城内を散策する市民の姿が多く見られた」と打ち明けた。（表1・2）

表1　掛川城に関する文化施設の年度別入場者数（単位：人）

年	2014	2015	2016	2017	2018	2019	2020
天守・御殿	117374	129660	140975	148868	123107	113488	55854
茶室	13658	16589	18123	21033	22079	19709	11974
竹の丸	8822	13108	15774	17643	14087	13198	9236
計	139854	159357	174772	182544	159273	145895	77064

（出典：掛川グランドホテルの上田武より入手した資料をもとに松本作成）

表２　掛川城・各施設の年度別売上額（単位：千円）

年	2014	2015	2016	2017	2018	2019	2020
天守・御殿	44755	51772	56955	60012	50631	50570	24430
茶室	5498	6706	7412	8685	8785	7578	4341
竹の丸	3207	4636	4624	5690	4832	3996	1843
指定管理料等	12238	7385	0	0	0	0	0
売上計	65698	70499	68991	74387	64248	62144	30614
営業損益	4654	10309	9296	9205	1590	2278	△ 8551
営業外収益	405	471	539	551	486	7283	9371
経常損失	0	0	0	0		0	0
経常損益	5059	10780	9835	9756	2076	9561	820

（出典：掛川グランドホテルの上田武より入手した資料をもとに松本作成）
・指定管理料は 2014 年度 120 万円、2015 年度 600 万円。これに菊花展と掛川城開門 20 周年事業の業務委託費を含むため「等」と表記した。2020 年度は予想値。
・2019 年度の営業外収益 728 万 3000 円のうち、感染拡大に伴う休業補償が 679 万 5000 円。2020 年度の営業外収益 946 万 1000 円のうち、同休業補償が 615 万 2000 円。このほか雇用調整助成金も含まれる。

上田は大阪府出身。天理高校ラグビー部時代にはフォワードとして「花園」に出場した経験を有する。大阪芸術大学の環境計画学科に進学、公園設計を学んだ。大学生時代、大阪都心のシティホテルでアルバイトをしていた経験からホテル業界に就職した。指定管理者に関心を持った理由は「挙式しない方が増え、どこのホテルでも婚礼部門が苦戦している。婚礼部門の売上減を何とか食い止められないか」と考えたからだ。市民らの浄財で再建された掛川城天守なので、民間企業が指定管理者に選定された当時は「市民の寄付でつくった城で商売をするのか」という匿名の抗議電話が何度もかかってきた。上田は「今では城内の行事が増えて利用しやすくなったと市民の方々から誉めていただけるようになった」と述べた。

4　建物管理の苦心と増収策

歴史的な文化財や文化遺産を民間企業が管理運営する困難さは何だろうか？　なかでも掛川城の二の丸御殿は、全国で 4 か所（川越城、掛川城、二条城、高知城）しかない国重要文化財に指定された御殿なのである。掛川城管理事務所所長の木曽美雪（1965 年生まれ、共同体職員）に聞いてみると[注3)]、修繕を必要とする個所がある場合、市と指定管理者の責任分担が難しいという。

市と共同体の包括協定書によると、「修繕」は「(1) 建物の躯体、防水、外装及び基幹的な設備の改修整備については、市が行うものとする。ただし、1件につき10万円未満の現状の機能を回復するための簡易な修繕又は工事については、指定管理者が行うものとする」と書かれている。さらに「(2) 利用者の安全確保のために緊急を要する修繕工事の場合は、10万円を超えるものであっても、指定管理者が行うことができるものとする。この際に要した費用は、指定管理者の請求に基づき市が負担するものとし、市は、その請求書を受理した日から30日以内に指定管理者に支払うものとする」とされている。

木曽は「基幹的な設備の改修は市負担となっているが、文化財の専門家が常には入っていないので、基幹的かどうかの判断がつきにくい場合がある」と指摘した。庭園の管理も大変だ。マツなどの高木が多く、専門業者の技術が必要になってくる。

感染拡大で来訪者が減った分、事務所では収入アップに取り組む。二の丸御殿に売店を設け、チケットを買って入場しなくても掛川城関連商品を購入できるように工夫した。関連商品の代表格は「御城印」(1枚300円)で、神社仏閣の「御朱印」のお城版だ。御城印の売上額がコロナ禍の減収分を補ってくれている。切り絵を用いた特別な御城印を1枚800円で販売した際には多い日で1日50枚以上売れた。木曽は「天守まで登るのは大変なので、売店で御城印を買い求めて記念品にされる方もいる」と話した。土産品の開発のために職員がアイデアを出し合い、お菓子やお茶など掛川特産品に寄せた新商品開発に懸命だ。御城印の作成も職員の発案によるものだ。

5 忍者ボランティア

掛川城では赤・紫・紺などカラフルな装束に身を包んだ忍者ボランティアが話題を集める。現在の指定管理者が選定されて以降、毎月第1と第3

の日曜日が「忍者の日」とされ、忍者の格好をした男性や女性が城内を歩く。歳末の12月第2土曜には忍者が天守を大掃除するのが恒例だ。忍者らは「掛川城戦国おもてなし隊」と呼ばれて登録者20人。コアメンバーは10人（うち女性4人）。NPO法人掛川国際交流センター職員の別所麻紀子（1965年生まれ）もその1人である。[注4)]

女性忍者（「くのいち」）には「流星」「雨鏡」「霧桜」「藤風」の名前がついている。「流星」と呼ばれる別所は「私たちは城内を歩き、来訪者からの質問に答える。城の構造などを解説する。写真撮影を依頼されると応じる」と笑顔で話した。「また来ましたよ」と声をかけてくるリピーターのファンも現れた。他の城に比べて掛川城は立入制限区域が少なく、写真を自由に撮影できるので好評だ。

別所は生まれも育ちも東京。種苗会社の研究職である夫の転勤に伴い掛川に移住した。英会話教室に勤務したり、夫の転勤に伴いデンマークで2年半暮らした経験があったりして英語で会話ができる。感染拡大前は外国人が多く訪れたので案内役を務めた。忍者の装束2着や刀などを3万5000円で自ら購入した（写真2）。

写真２　忍者の装束を身に着けたボランティアの別所麻紀子さん

無償のボランティアで、参加した日に掛川茶のペットボトル1本がもらえるだけだ。それでも別所はやりがいがあるという。「忍者を見ると、大人も子供も、日本人も外国人も手を振ってくれる。訪れたお客さまに喜んでもらえるとうれしい」と話した。そして「私は東京出身なので、自分のまちにお城があるなんて本当にすごいこと。自宅そばから天守が見通せる。初めて古里ができた」と語った。

6 掛川城から得られた教訓

筆者が同志社大学に提出した博士論文『芸術創造拠点と自治体文化政策 京阪神3都の事例分析』(2009年）や単著『官民協働の文化政策 人材・資金・場』(水曜社、2011年）では、文化施設が機能するためには3条件が必要だと提唱した。1つに「文化政策人材やアートマネジメント人材の存在」、2つに「資金調達先の多様性」、3つに「場の自主管理」である。本稿で取り上げた掛川城の事例についてこれらの視点から分析してみよう。

人材の存在ではホテルの総支配人・上田武がアイデアマンである。地元静岡の出身ではない分、外部の視点から地域の実情がよく見えている。別所ら忍者ボランティアの活動も自発的なところが興味深い。とはいえ文化財の専門家がいない点は気がかりである。

資金調達は多様だ。コロナ禍のホテル苦境のなか、掛川城の指定管理者業務を引き受けた多角化が企業経営に貢献した。上田自身も予想しなかった緊急事態だった。木曽の語る城関連商品の開発・販売も注目される。今や文化財の管理運営のために多彩な資金調達が求められる時代なのだ。

場の管理では、国の重文である二の丸御殿で結婚式を行い、飲食の宴会等はホテルに移動して行うスタイルが興味深い。文化財保護法等の制約があったとしても文化遺産の活用方法は多彩に編み出せるものだと分かる。コロナ禍の際は自粛されたが、以前に開催されていた本丸広場のビアガーデン営業は話題を集めた。「天守閣を見上げながらビールを楽しめるのは全国でもここだけ」(上田）なので遠隔地から訪れる客もいたという。

掛川城における指定管理者制度導入は、文化財・文化遺産マネジメントに一石を投じている。

注

1）掛川城については、松本茂章『日本の文化施設を歩く　官民協働のまちづくり』水曜社、2015年、110～113頁、あるいは松本茂章編『岐路に立つ指定管理者制度　変容するパートナーシップ』水曜社、2019年、93～106頁を参照のこと。本稿は感染拡大を受けて改めて調査を行い、全面的に書き直した。

2）上田武には2021年4月29日に聞き取り調査を行った。

3）木曽美雪には2021年9月18日に聞き取り調査を行った。

4）別所麻紀子には2021年9月18日に聞き取り調査を行った。

■ interview ■

京都信用金庫　個人ローン推進部　調査役（インタビュー時）

水谷英一

1957年生まれ。立命館大学経営学部卒業後、1980年に京都信用金庫（京信）に入社。2011年に本店の住宅ローン推進部課長に異動した。以降、京町家向けの融資商品「のこそう京町家」の業務に長く関わってきた。「京町家のことなら水谷さん」の評判が京信内で定着している。（2021年12月、ゆたかなコミュニケーション室調査役に異動した）

金融マンはどう動くのか？―融資について

――なぜ信金職員に？

私は京都市中京区に生まれ育った。入社時の京信は預金積立残高が全国2位だった。現在の預金残高（2021年度）は2兆7828億円である。京信は1923（大正12）年に証券会社として創業し、1951年に信用金庫に転じ、大津市信金、府民信用組合を合併して今に至る。106支店の営業エリアは京都府、滋賀県、大阪府に及ぶ。お客さまが抱える課題に対して役職員全員が「おせっかいを焼く」を合言葉に、温かい金融を実践している。

――なぜ京町家の融資に関わるように？

2011年1月、公益財団法人京都市景観・まちづくりセンター側から京信に「何とか京町家を残せないか」との相談が寄せられた。当庫内で検討を行い、同年6月27日、京町家向け新商品「のこそう京町家」の取り扱いを始めた。私が支店の貸付課長から本店の住宅ローン推進部課長に異動したのが2013年7月1日。商品取り扱いが始まったばかりで「何、これ？」と思った。京都人は「京町家」なんて言わないので「どういうやつ？」と半信半疑だった。最低限の定義は1950年の建築基準法の制定前に建てられた古い民家のこと。壁を引っ剥がして初めて京町家だと分かる住宅もある。

京町家の数は減少している。京都市、立命館大学、同センターが合同で実施した悉皆調査によると、2010年3月時点で市内に「4万7735軒」が残されていた。2016年11月では「4万件」に減った。悉皆調査はすべて路地の中まで入っていない。入口に施錠をした路地もあるため、実態はもう少し多いのではないか。京町家の空き家率は2010年で「10.5%」、2016年で「14.5%」。ざっと5800軒が空き家というわけだ。

京町家の建物は登記されていないケースが多い。古い建物なので担保価値がなく、費用を投じてまで登記しない。謄本を見ても筆書きの謄本では建築時期が分からない。そこで詳しい業界人に「家屋評価調書」の活用を教えてもらった。これで課税時期を知ることができる。

――京信の商品「のこそう京町家」とは？

京町家専用住宅ローンのこと。ご本人がお住まいになる京町家の購入、あるいは改修資金を融資する。条件が1つある。京都市景観・まちづくりセンターが発行する「京町家カルテ」か「京町家プロフィール」を取得可能な京町家に限定している。融資額は100万円以上、2億円以内。

2012年からは事業性資金の融資商品として「活かそう京町家」も始めた。所有されている京町家を賃貸するに際して、改修資金や京町家を購入して店舗などを開く際の資金等を融資する。100万円以上、5000万円以内。無担保ならば3000万円以内。個人だけでなく法人の利用も可能である点が特色である。返済期間は有担保が25年、無担保は10年以内だ。

――実績は？

「のこそう京町家」の取り扱いを開始して以来、2021年3月末までの融資実績は148件、40億4400万円。京都府内の他の銀行や信金でも同様の金融商品の取り扱いがあるが、幸いにして当庫が先行していたため、「京町家の融資なら京信さん」のイメージを構築することができている。京信の融資実績が多く、ノウハウも蓄積できた。融資商品のヒットは難しいが、「のこそう京町家」は当たった。事業向けの「活かそう京町家」は、2020年3月までの取り扱い実績が31件で、融資額は8億6000万円だった。

実をいうと、京町家を取得した方に融資した場合、私の知る限り、返済が滞ったケースは1件もない。京町家を購入する方は返済能力の高い、「属性」の良い人たち。この実績から、京信としては「のこそう京町家」の展開に自信を持った。当庫では、本店7階に審査部門と営業部門がある。互いに「壁」がなく、風通しがいい。この社内事情も幸いした。

――他の住宅ローンとは何が違う？

「のこそう京町家」では年利率の最低を「2.675％」に設定している。取り扱い開始時点では相当低かった。しかし現在のゼロ金利政策下では、この金利では利点がない。実態は「0.875％」程度、あるいはそれ以下の利率で動いている。お客さまの「属性」に応じて、さらに下がる場合もある。「属性」に見合った、思い切った低利率を設定していく。

金融機関が住宅ローンを組むとき、必ず、住宅と土地の担保を取る。土地の評価額は国が決める路線価で積算する。しかし京町家の評価額の設定が難しい。路地のなかには路線価が走っていないので、「評価額ゼロ」になってしまう。この担保問題が京町家融資の大きな「足かせ」だった。京信では、近隣における京町家の流通価格を評価することで対応した。

――京町家の評価は？

先に述べたように町家は担保価値が事実上「ゼロ」である。悩みは、1つに路地に建つ京町家は公道に面していないので、壊したら再び建てられない。だから評価しづらく、担保にならない。2つに路地は住んでいる長屋の住民の所有ではない場合がある。路地の所有者は別のところに住んでいたりする。3つに木造の建物なので20年を過ぎると木造の評価額は「ゼロ」になる。そして何より「京町家であるかどうか」の見極めが難しい。

そこで融資の条件として公益財団法人京都市景観・まちづくりセンターが発行する「京町家カルテ」の取得を求めた。カルテは建築の専門家がつくられた素晴らしい成果物だが、悩みを有する。京町家カルテ委員会による審議が行われるのでカルテ発行までに時間がかかる。さらに約5万6000円の費用がかかる。かつて申請できるのは町家の個人所有者に限られていたので、不動産業者からの申請ができなかった点も使いにくかった（※現在は不動産業者所有でも申請可能になった）。

簡易版の「京町家プロフィール」も活用することにした。こちらは所有者であれば、不動者業者からの申請も可能だった。外観で判断するため、費用は約1万5000円と安い。現在では同プロフィールを提出した融資案件が多くなった。カルテもプロフィールも出ないときは、京信職員が現地に出向いて判断する。融資案件を積み上げてきたので職員も判断できるようになってきた。京信独自の判断で融資する事例は年間20件ほどある。

──融資を希望されるのは、どのような方？

京町家を取得して居住を希望される方々のうち、全体の70％は公務員、学校の先生夫婦、外国人で占められる。外国人だけに限ると全体の20％。

信用金庫法に基づき、信用金庫の業務はローカル性がある。営業のテリトリーは支店を出している地域だ。会員資格がないと融資を受けられない。東京在住者の融資希望者が多い。「週末は京町家で暮らしたい」と「子どもが京都の大学に進学希望」「ITオフィスに使いたい」などの希望が寄せられる。しかし法律上、融資できないので、お断りしている。

各地の信用金庫から視察者が訪れると、「京都はいいな」とおっしゃる。京都市景観・まちづくりセンターが設立され、京町家カルテ、京町家プロフィールを作成してくれる。これが融資できるかの判断材料になる。他の地域では同センターのような公的機関がない。

──減少する京町家だが、今後はどうなる？

新型コロナ感染拡大の前には、大勢の外国人観光客が京都を訪れたので、京町家を買い求めてゲストハウスに改装する需要が新たに生まれた。しかし、京都市が規制したので、ゲストハウスはもう増えない。今は、融資目的が「泊まる」から「暮らす」に変わってきた。

京町家を新たに購入される場合、案件の 80 ～ 90%には融資に応じている。購入希望者は自己資金をお持ちなので、安心感がある。逆に、現在の所有者で、改修するために融資を求める方はほとんどない。すなわち、新しいユーザーに京町家の所有権が移らないと、京町家はこのまま朽ちてしまう。次の所有者が活用してくれることを期待する。今後も、地元の「コミュニティバンク」として、京町家が残っていくように支援を続けていきたい。

(2021 年 7 月 5 日インタビュー　松本茂章)

第6章 地域の記憶を未来に伝える

6-1 伝統工芸の技法伝承が伝統芸能の継承につながる―石州和紙と石見神楽

高島 知佐子

1 伝統芸能と伝統工芸の現状

グローバル化が進み、観光による地域間競争が激しくなる中、伝統文化は地域の特徴、魅力であり、人々のアイデンティティ形成にも寄与している。日本は諸外国に比べて多くの伝統文化が残っていると言われている。1975年に地域の芸能などの民俗文化も文化財保護法の対象になり、2020年時点で、国の重要無形文化財は106件、重要無形民俗文化財は318件ある。[注1)] 自治体も伝統文化を文化財に指定する制度を設け、文化財保護に努めてきた。国や自治体の文化財指定は、記録や調査の有無、保存状態、固有性に左右され、住民が重要と思う伝統文化であっても、文化財指定されないことがある。

経済産業省の伝統的工芸品も伝統文化に関わる制度である。高度経済成長、大量消費・大量生産を背景に消滅の危機にさらされる伝統工芸が増え、1974年に「伝統的工芸品産業の振興に関する法律」が施行された。同法律に基づき、経済産業大臣の指定を受けた伝統工芸は伝統的工芸品と呼ばれ、2021年1月時点で236件、47都道府県全てに伝統的工芸品がある。[注2)] 指定を受けるには、①主として日常生活の用に供されるもの、②その製造過程の主要部分が手工業的、③伝統的な技術又は技法により製造されるもの、④伝統的に使用されてきた原材料が主たる原材料として用いられ、製造されるもの、⑤一定の地域において少なくない数の者がその製造を行い、またはその製造に従事しているもの、という5つの条件を満たさなければならない。指定には、産地組合が申請する必要があることから、地域性と産業としての側面が重視されている。

伝統文化を継承するための制度は構築されてきたが、その支援は補助的なもので、担い手の自助努力がなければ継承することはできない。少子高齢化、生活スタイルの変化から、多くの地域で伝統文化の継承が困難になっている。しかし、伝統文化を取り巻く環境が厳しくなる中、地域の人々の活発な活動で継承・発展している伝統文化もある。本節では地域の芸能である石見神楽、石見神楽の魅力を支えてきた伝統工芸の石州和紙を取り上げ、伝統芸能と伝統工芸の繋がり、繋がりが生み出す伝統文化の価値を考える。

2 石見神楽と石州和紙[注3)]

(1) 石見神楽

石見神楽は、島根県西部を中心に継承されている神楽の総称である。広島県北西部でも同様の神楽が見られる。神楽とは、神前に奏される歌舞で、囃子と舞によって構成される。神楽は日本各地に多く残っており、2020年時点で101件の神楽が国の重要無形民俗文化財に指定されている。

石見神楽は、平安末期から室町時代に農耕神の信仰として行われた田楽行事が原型と言われている。江戸時代に歌舞伎や能楽と融合し、神話劇として演劇化された。明治時代に神職の演舞が禁止され、地域の人々が担うようになった。演目は日本神話を題材に、繊細な笛と壮大な太鼓に合わせた、豪華な衣装と面をつけた舞が特徴である。最も知られた演目に「大蛇(おろち)」がある（写真1)。蛇腹のように伸び縮みする大蛇が登場し、迫力のある舞を作り出す。壮大な娯楽性は、神事の域を超えた観光資源として、近年は公共施設などの場で不特定多数の人を対象とした公演活動につながっている。

石見神楽を担い、公演活動等を行う団体は社中と呼ばれる。現在、島根県西部と広島県北西部に約130の社中が存在する。石見神楽が有名な島根

写真１（左） 石見神楽「大蛇」（『日刊スポーツ』2020 年 11 月 1 日）
写真２（右） 西村神楽社中の練習風景

県浜田市には 54 社中、島根県益田市には 21 社中、島根県江津市には 19 社中ある。注 4) 江戸時代に起源を持つ社中もあれば、戦後や 1990 年代に創設されたところもある。石見神楽がイベント等で披露される際、どの社中が呼ばれるかは、人気や予算、演目等からイベント主催者が決める。イベントで得られる出演料は、社中維持の重要な収入である。地域内に多くの社中が存在することで、社中同士がそれぞれの特色を出し、切磋琢磨する競争関係が生まれている。

島根県浜田市で人気社中の一つとして知られる西村神楽社中は、1976 年に作られた比較的新しい団体である。島根県浜田市西村町にあり、同町周辺の 19 ～ 29 歳の有志 11 名で発足した。道具のない状態からのスタートだったため、代表の日髙均氏が借用人、他のメンバーが連帯保証人となり、農協で 200 万円を調達し衣装や面を準備した。日髙氏の土地に練習場と道具置き場を作り、現在もここを拠点に活動が行われている（写真 2)。当初は道具が十分ではなく、できる演目も限られていたが、週 3 回他の社中に教えてもらい、老人ホームへの慰問活動等を行った。全員が未経験ゆえ飲み込みが早く、10 ヶ月で 10 演目を習得し、今では 30 演目を上演することができる。

現在は年間40回程の公演依頼のある人気社中に育ち、男女40名程度が所属する。小学生、10代から60代まで多様な年齢の人々がいる。大人になってから神楽を始める人は少なく、子供神楽出身者が多い。幼稚園や保育園、小学校でも神楽を教えており、子供たちの間では「神楽ごっこ」という遊びがある。神楽の衣装や演出の豪華さに憧れ、地域の社中に入って神楽を本格的に始める子供も多い。西村神楽社中には、神楽をやるために地元に就職した人、習い事のように神楽をやっている子供もいる。メンバーは「やりたくてやっている」と言う。公演場所は、神社の祭礼、地域イベント、福祉施設等で、アメリカ、オーストラリア、韓国、中国などの海外公演も経験した。

石見神楽は、地域の子供たちに親しまれ、進学・就職後も本業とは別にライフワークとして地域の人々に担われてきた。石見神楽の社中には若年層が多い。豪華な衣装や火や煙を吹く豪快な演出等が魅力になっている。

(2) 石州和紙

石見神楽が地域の若年層を惹きつけ、観光資源としての価値も高めている背景には、使われる道具の存在がある。上述したように、石見神楽には蛇腹の大蛇や豪華な衣装、迫力ある面が使用されており、これら全ての材料に石州和紙が使われている。衣装は装飾が多く豪華になるほど重く、形が定まりにくい。しかし、耐久性のある石州和紙を装飾の多い部分に使用することで、形が崩れにくくなる。また、演者が身につける面は、和紙の柔らかさが顔の形、凸凹を作りやすい。石州和紙には水に濡らしても破けないほどの強さがあり、多様な形状の面作りに生かされている。

石州和紙は、610年に日本に伝来したと言われる島根県西部で漉かれる和紙である。現在は島根県浜田市三隅町に生産者がいる。楮を原材料とした石州楮紙の需要が高く、石州和紙の代表である。地元産の良質な楮は繊維の長さ8～10mmあり、強靭で光沢のある和紙が作れる。1950年頃まで農閑期の副業で和紙作りが行われ、江戸時代には大阪に流通し、商家の帳簿に用いられた。水に濡れても文字が滲まない性質が、火事から帳簿を守れ、重宝された。石州和紙のうち石州半紙[注5]は1969年に国の無形文化財、2009年にユネスコの無形文化遺産に登録され、石州和紙全体では1989年に伝統的工芸品に指定され、[注6]文化と産業の双方の視点から重要な伝統文化と認識されている。

石州和紙の生産者は1889年には兼業を含めて6377戸あったが、1969年には専業事業者10戸、2021年時点では専業事業者4戸が残るのみである。伝統的な価値に対する認識とは反対に、後継者の確保が課題になっている。[注7]2008年に開館した浜田市の公立施設・石州和紙会館[注8]を拠点に、事業者と自治体が連携し、3年を限度に滞在費などを支給する研修生制度を設け、後継者育成に取り組んでいる。1970年代から海外の手漉き和紙技術者育成にも協力し、ブータン王国との繋がりがある。

西田和紙工房の7代目・西田誠吉氏は石州半紙技術者会の会長も務め、石州和紙の新たな市場開拓や事業に取り組む一人である。西田氏は京都で手描き友禅の絵師を経て、27歳で家業を継いだ。現在の西田和紙工房には、西田氏の息子・西田勝氏、研修生出身者を含む若手女性2名、原材料の楮の加工を担うパートタイムの女性3～4名がいる。西田和紙工房の売上は、問屋、文化財、その他直売で構成されており、約6割強が文化財修復向けである。文化財需要は西田氏が切り開いていった市場である。近年は海外美術館からの需要もあり、文化財向けは直接取引している。桂離宮、西本願寺、二条城などの建具修復、海外の美術品や書物の修復に石州和紙が使われている。問屋向けは、関西圏の問屋に卸しており、一般的な表具、版画や書道等の作家に需要がある。

西田和紙工房は兼業であったが、1946～1947年頃に専業化した。専業化を機に、地元の神楽道具用に厚手の和紙を開発し、現在も神楽道具向けの商品を出荷している。8代目を継ぐ西田勝氏も新たな商品開発、市場開拓に取り組んでいる。島根県の伝統工芸の若手職人5名（組子、鍛造、硝子、挽物轆轤、和紙）でシマネRプロダクトというプロジェクトを立ち上げ、島根のものづくりを発信している。2013年には星野リゾートが運営する旅館「界 出雲」のご当地部屋「出雲匠の間」のデザインを手がけた。[注9] 石州和紙は一枚一枚手漉きで、機械のような大量生産ができない。良質の和紙漉き技術を持つ職人を育成し、手漉きだからこそ実現できる商品特性を活かしたオーダーメイド需要を開拓することで継承が可能になっている。

石州和紙の耐久性に不可欠なものが原材料の楮である。かつては地元で豊富に入手でき、手漉きで可能な範囲の量産が可能だった。しかし、近年は楮を栽培する農家が減り、職人が原材料の栽培から販売までを担うようになっている。2008 年から地元の農業者の酒井清美・由美子夫妻が楮の栽培、研究を始め、質の高い太い楮を供給している。西田和紙工房も酒井氏の楮を使用している。以前は良質な楮が自生し、和紙づくりは副業だったため、地元には楮栽培に関する資料がほとんどない。酒井氏が新たに楮生産に取り組む人に栽培方法を教え、苗木も提供している。島根県農業技術センター（公立研究機関）の職員が酒井氏に学び、自治体でも楮の研究を進めている。

3 石州和紙で発展した石見神楽の道具

現在のような大蛇は 1800 年代終わりから 1900 年代始め（明治 30 年代）に浜田市生まれの神官・植田菊市氏が発明し、多くの社中に広がった。胴の長さ約 16m の大蛇は、当時は一頭のみの演出だったが、戦後になると二頭が一般的になった。1970 年の大阪万博で石見神楽公演をした際、大蛇八頭が登場し、その迫力で人気を博した。これを機に石見神楽＝迫力のある大蛇退治劇というイメージが定着し、各地のイベントでも同様の演出が求められるようになった。[注10] 現在、石見神楽の大蛇は、開発者の子孫で 3 代目の植田倫吉氏が営む植田蛇胴製作所がほぼ一手に制作している。大阪万博までは農業との兼業だったが、1970 年代以降、全国から制作依頼があり専業で取り組むようになった。

豪華絢爛な衣装は、1900 年代に細川神楽衣装店の細川勝三氏によって開発された。細川氏は衣装や仕掛けを見直し、石州和紙を台紙に金糸や銀糸を使い、龍などの生き物の絵をあしらった衣装を作った。細川神楽衣装店は現在まで継承され、島根県・広島県を中心に神楽衣装の制作を続けている。石見神楽の衣装に惹かれ、細川神楽衣装店に就職した若者もいる。

舞手がつける面は、江戸時代までは木彫りだったが、明治時代に入り、島根県浜田市に伝わる長浜人形に携わる人形師が、漆の技法を応用し、石州和紙が使用されるようになった。演劇性や娯楽性とともに石見神楽の動きが激しくなり、軽くて丈夫な面が求められたと言われている。髪の毛には馬やヤクの毛が使われている。島根県西部では、面は魔除け、縁起物として、神楽以外にも新築祝い等の贈答品やインテリアとしての需要がある。現在、面を制作する事業者は5件で、親子二代で神楽面を作る事業者に柿田勝郎面工房がある。柿田勝郎氏が独学で面づくりを習得し、1972年に工房を開いた。同工房の面は、神楽社中などの上演団体向けが70～80%、贈答品や装飾品向けが20～30%で、域外からの需要もある。多くの面の耐久性は20～30年だが、石見神楽は動きが激しいため修理の依頼も多い。

4 柔軟に変化しつつ地域に引き継がれる文化遺産

石見神楽と石州和紙は地域の重要な文化遺産であり、必要に応じて自治体の支援を受けながら、地域の人々の手で現在まで継承されている。地域の人々が力を入れる背景には、社会の変化や地域の状況に合わせて、伝統文化を進化させ、時代に応じた価値を創り出していることがある。文化財や伝統的工芸品として指定されている部分は変えることができないが、それ以外の部分は柔軟に変更されてきた。

一般に、地域の芸能は男性の地域住民のみで担われてきた歴史があり、このルールにこだわるところもある。また、文化財ゆえに道具が古くなり、自由に使えず新調も難しく、苦慮するところは多い。石見神楽は、環境の変化に適応し、担い手と道具、演出を進化させてきたことで、現在でも地域の人々から愛される伝統芸能として続いている。

伝統工芸においては、戦後の経済成長で機械化や規模の拡大を目指した結果、バブル経済崩壊、グローバル化で廉価な海外製品との競争に苦しむ地域は少なくない。近年ではデザイン性を重視し、インテリア用途等を開拓し海外富裕層をターゲットにする活動も目立つ。石州和紙に対する全体的な需要は減りつつあるが、一方で機械化や量産では実現できない価値で独自の市場を切り開き、生き残る道を模索してきた。

地域に自然環境、伝統芸能、伝統工芸という多様な文化遺産があるからこそ、これらが有機的に結びつき、独自の道を歩み、地域への愛着、他の地域にはない魅力を生み出していると言える。また、地域の人々が文化遺産に対して、生業、副業、ライフワーク、ボランティアといったさまざまな関わり方ができることも、文化遺産への関心、関与を高めていると考えられる。

※本稿の調査はJSPS科研費JP19K01837の助成を受けたものです。

注

1）文化庁「文化財指定件数」(https://www.bunka.go.jp/seisaku/bunkazai/shokai/shitei.html)。

2）経済産業省HP「伝統的工芸品」(https://www.meti.go.jp/policy/mono_info_service/mono/nichiyo-densan/index.htm)。

3）本項の記述は2020年5月29日石州和紙会館（竹中博文氏）、2020年9月23～27日の現地調査：西村神楽社中（日高均氏）、西田和紙工房（西田誠吉氏）、柿田勝郎面工房（柿田勝郎・兼志氏）へのインタビュー、楮栽培（酒井清美・由美子氏）の見学に基づく。

4）島根県浜田市石見之國伝統芸能 - 石見神楽公式サイトー（http://iwamikagura.jp/hamada-group/）、益田市観光ガイド「神楽社中」(https://masudashi.com/iwami-kagura/)、江津市観光サイト「石見神楽 神楽団体」(https://gotsu-kanko.jp/iwamikagura/kaguradan)。

5）石州半紙とは、石州半紙技術者会が継承する伝統的な和紙技術・技法に基づき作られた和紙のことを指す。

6）2014年には本美濃紙、細川紙を含めて「和紙：日本の手漉和紙技術」としてユネスコに再提案し登録された。

7）浜田市役所三隅支所防災自治課（2020）「浜田市の和紙振興」。

8）石州和紙会館は、石州半紙技術者会が指定管理者として運営していたが、2016年度から市の直営になっている。

9）星野リゾート界出雲「シマネRプロダクトご紹介」(https://kai-ryokan.jp/izumo/rooms/crafts.html)。

10）俵木悟（2013）「第四章　八頭の大蛇が辿ってきた道：石見神楽『大蛇』の大阪万博出演とその影響」島根県古代文化センター編『石見神楽の創造性に関する研究』33～48頁。

6-2　伝統的なまちなみを活かした新しい賑わいづくり ―「みなみ奈良町」の取組み

松本 茂章

1 地域ぐるみの文化遺産

地域全体が文化遺産であると呼べるところがある。たとえば文化庁のHPによると、[注1)] 重要伝統的建造物群保存地区（重伝建地区）は全国で126か所が選定されている（2021年8月2日現在)。統一的な歴史景観は住民の誇り形成につながり、魅力ある観光資源が来訪者を引き付ける。重伝建地区に至らなくても、景観法や景観条例に基づいて伝統的な景観を後世に伝えようと努めることも、文化遺産マネジメントの大切な試みであろう。

奈良市の中心市街地「奈良町」には、江戸時代後期から昭和初めにかけて形成された古い町並みが残されている。同市は1990年制定の都市景観条例に基づき、1994年に「奈良町都市景観形成地区」を指定。建物の位置や構造、外観のデザインなどに関する景観形成基準を定め、指導を行ったり、補助金を支出したりするなど、文化遺産の継承に懸命である。景観形成地区内で新築、増改築、外観の模様替え、色彩の変更などを行う場合は届け出が求められ、市はその内容に対して基準に基づいた助言や指導を行う。

奈良町に注目した筆者は2021年8月末から9月上旬にかけて10日間余り奈良町に通い、まちを歩き回った。[注2)] 碁盤の目のまちを散策するたびに発見があった。奈良町に関し、市などは「きたまち」「ならまち」「京終（きょうばて）・紀寺（きでら）」の3地域に区分している。対して筆者は「元興寺より南」の地域の魅力に着目したので、本稿では「みなみ奈良町」という新しい言葉を用いることにした。観光的にはそれほど注目されてこなかった地域なのだが、近年、興味深い取り組みが相次いでおり、新たな可能性が広がってきたからである。

2 奈良町とは

奈良市のHP、[注3] および公益財団法人元興寺文化財研究所編『奈良町の南玄関　歴史と文化の扉をひらく』（京阪奈情報教育出版、2021年）等によると、平城京から都が離れたあとも、東大寺、興福寺、春日大社などの大きな寺社が奈良に残ったので、平安時代の後期に都市が形成され、商工業が盛んになった。元興寺（世界遺産）境内に人々が暮らすようになり、狭義ではこの地域が「奈良町」と呼ばれる。

江戸時代になると、奈良町で検地が実施され、町域が画定される。「100町」が奈良町と総称され、徳川幕府の奈良奉行所が直轄地として支配した。市街地に続く周辺の村も次第に奈良町に編入されていった。興福寺領だった紀寺など、あるいは奈良奉行の支配下にあった京終なども、広い意味で奈良町と考えられるようになった。奈良町は17世紀末に全体で205町あり、3万5000人余が生活する都市だったとされる。

江戸時代には、鹿柵が奈良町を取り巻く形で設置されていた。奈良町の内側と外側は目に見える形で分かれた。奈良町最南端の京終や紀寺は村方との境界近くに位置して門や鹿柵が築かれていた。

しかし京終・紀寺エリアと「ならまち」南部は3つの小学校校区に分かれ、1936（昭和11）年に開通した幹線道路（通称・循環バス道路）が東西を貫通して、まちを分断していた。観光客の回遊性は乏しかった。

3 築120年余の木造駅舎が復元されて

青空だった2019年2月23日の土曜日。JR京終駅（同市南京終町）駅前の芝生広場で店舗兼観光案内所の開所式が行われ、大勢の市民が詰めかけた。駅舎は1898（明治31）年に建築された木造平屋で、地域のシンボルが復元されたのだ。式典では地元・肘塚椚町（かいのづかくぬぎちょう）自治会長の丸山清文（1948年生まれ）がJR西日本管内で初めてのコミュニティ駅長を委嘱され、JR西日本大阪支社長から紺のブレザー及び制帽を貸与された。白シャツの丸

写真１（左）　コミュニティ駅長の丸山清文さん。奈良市消防局職員だったので制服と敬礼姿が似合っている
写真２（右）　明治の木造駅舎を復元した JR 京終駅舎の外観

山はブレザーに初めて袖を通し敬礼姿を披露した。出席者に笑顔が広がった（写真 1)。

京終駅は JR 桜井線（愛称・万葉まほろば線）の駅で、奈良駅から 1 つ南側に位置する。広さ $145m^2$ の駅舎は JR 西日本から奈良市に無償譲渡され、市による復元工事は 2017 ～ 2018 年度にかけて 1 ～ 3 期に分けて実施された。1 期では駅舎の待合室改修を行い、2 期では駅務室を改装した観光案内所を設けた。3 期では駅前広場の整備と観光用にトイレを建て替えた。合わせた工事費は総額 4935 万円だった（写真 2)。

駅舎の老朽化は著しかった。土台、屋根、柱などの構造を活用したものの、傷んでいた板壁を解体して新しい木材を用い、往時の姿に復元した。壁の内部で見つかった過去の窓枠は上下開閉式だったので、元の形状に戻した。板壁の形状や色も当時の雰囲気を保つように配慮した。

駅務室は、おしゃれなカフェ・コミュニティスペースを兼ねた観光案内所に変身した。駅舎管理は地元の NPO 法人京終（理事長・萩原敏明）が市から年間 205 万円 9200 円で委託された。契約は 10 年間である。

1984 年から無人だった京終駅になぜ民間人が「駅長」に委嘱されたのか？　駅舎管理を NPO 法人に委ねたのか？　話は 2016 年 7 月にさかの

ぼる。暑い夏の日、JR西日本大阪支社長の一行が市役所を訪れ、市トップと面会した。

同席した同市奈良町にぎわい課長（当時）の徳岡健治（1965年生まれ）による回想。「JR側が提示したのは1つに行政がコミュニティ拠点に使うならば駅舎を無償譲渡する、2つに使わないならば老朽化した駅舎を取り壊してシンプルな駅舎にする、ということだった」。翌8月、市幹部やJR社員による現地視察が行われ、駅舎を保存して奈良町観光に役立てたい、との考え方が示された。

2016年11月、関係する自治会長と地元有志らで構成する京終駅周辺まちづくり協議会が発足。2017年2月以降、近くの神社社務所等で月1回の会合を重ねた。多様な意見が出されたのち、駅舎は近代的な改装ではなく、往時の姿に戻す方針が固まった。「復元工事は公費で行う」「駅舎運営は地元からの提案事業で取り組む」との方向性が打ち出された。

JR西日本大阪支社副支社長の早川泰正（1968年生まれ）も協議会に出席した。当時は同支社近畿統括本部企画課長。「地元の方々がとても熱心だったので安心した。駅舎管理は熱情がないと続かない。駅舎の譲渡後、使われないままのところもある」と振り返る。

そして早川は民間人の駅長登用について「JR西日本では初めて。当時、JR各社の広報に尋ねたところ、例がなかったので、日本初の試みだったと思われる。わが社では名誉駅長はJR職員OBを登用する。対して地元の強い要望を受けて、地域のにぎわいづくりのために駅長を置いたのは京終駅が初のケース」と述べた。駅長職は無償である。当時の大阪支社長の特別な配慮から制服制帽の貸与を決めた。

コミュニティ駅長の丸山は快活な人物である。同市消防局職員を定年退職した。「はしご車30年」の人生だったので安全・防災技術に精通する。消防士時代から各地の災害現場に駆け付けたスーパーボランティアで、奉仕精神に富む。3つは腰の低い人柄が愛され退職以降ずっと地元の自治会長を務めている。

丸山の朝は早い。1日4回400m四方の自治会内を歩いてパトロールする。危険個所はないかを確認、朝の挨拶を住民と交わす。午前8時には駅舎に到着して30分間清掃する。通勤通学の常連客に声掛けする。台風・大雨の際は午前5時にやって来る。午後にも駅舎に姿を見せ、午後8時に最終チェックを行う。丸山は「駅舎が改装されて随分と明るくなった。『駅長が常駐すると防犯面で安心』と感謝されるとうれしい」と笑顔で話した。ある日の駅舎に肩を落とした若者がいた。声をかけると仕事を失ったという。企業にアピールできる履歴書の書き方を伝授した。

近年、駅舎には鉄道遺産の愛好家が訪れる。駅近くにゲストハウスができて外国人観光客の姿も見られるようになった。JR西日本によると同駅の1日乗車人員は2018年で723人、10年前の2008年の521人に比べて1.39倍に増えた。奈良県内の鉄道駅の利用状況をみると、同じ10年間で大和路線は94.4%、桜井線は99.9%に減少したなかで、特筆される伸び率を示した。〈駅舎復元〉効果である。

4 奈良町家の魅力を伝える

京終駅から北東に徒歩10分。紀寺地区に奈良町宿「紀寺の家」がある。藤岡建築研究室を主宰する建築家、藤岡龍介（1952年生まれ）が2010〜2011年、生家そばの奈良町家を改修して宿5軒を開業した。通り庭、土間、縁側、障子等を巧みに活かして再生した。うち1軒は国登録有形文化財に登録された。藤岡は近畿大学建築学科を卒業後、東京の工務店、長野の設計事務所で民家再生を学んだ。32歳で古里・奈良に戻り、伝統的な木造建築の再生に取り組んできた。藤岡は「京終駅舎は自宅から最寄り駅なので気になる建物だった。かつて駅北側に卸売市場があり、とても賑わっていた。正月前には母に連れられてお菓子を買い出しに出向いた。楽しい思い出が残されている」と語った。藤岡が2011〜2013年度の奈良県近代化遺産総合調査に参加した際、京終駅舎を選んで1次調査票を提出した。しかし2次調査までには至らなかった。「当時の駅舎はそれほど関心を集めていなかった」という。

藤岡は京都市文化財マネージャー育成講座（建造物）の講師を務めていたので、2013年度受講生の修了研究に京終駅舎調査を掲げたところ、受講生7人が同駅に出向いて調査を行い、報告書にまとめた。「この報告書が事実上、最初のきちんとした調査活動だった」と振り返る。

この京終駅に長男の藤岡俊平（1982年生まれ）が関わるようになった。市から駅舎管理を委託されたNPO法人京終の専務理事を務めているからだ。世の中には巡り合わせがある。駅舎管理を引き受けた理由について俊平は「僕らのNPOでは子どもたちが住み続けられるまちづくりを目指す。このためには京終・紀寺エリアにもっとお店が増えなくては、と願いカフェを開業した。店内で音楽イベントを行い、駅前広場では子ども祭りを開いた」と説明した。

俊平は神戸芸術工科大学環境デザイン学科を卒業後、4年間、東京の工務店で木造建築を学んで帰郷。近鉄奈良駅そばに借りた自室から紀寺にある父の研究室まで自転車で通った。「毎日、奈良町を往復して驚いた。1か月に1軒のペースで町家がつぶされ更地になっていた」と振り返る。

俊平は「紀寺の家」代表として町宿を切り盛りしながら、古民家の活用や町家暮らしの相談に乗る。「紀寺の家の宿泊者は東京の方が圧倒的に多い。『こんな家にしたい』と建築士を連れて一緒に泊まる方もいる」と言い、木造家屋の再生や活用がいかに魅力的かを熱っぽく語った。

5 「文化財の総合病院」もやって来た

京終駅南側の南肘塚町にレコード会社「テイチク」の本社工場があった。跡地に2016年秋、元興寺文化財研究所の拠点施設「総合文化財センター」が開設された。1967年に設立された民間の文化財研究機関で、全国から寄せられる文化財の修復作業を行うことでよく知られる。保存科学、埋蔵文化財保存、文化財調査修復などの研究グループが設けられ、X線やコンピュータ断層撮影（CT）等を用いた最新鋭の保存処理技術を有する。これまでは元興寺境内の本部棟と生駒市の保存科学センターに分かれていたが、新施設開設に伴い、人文系研究者と理科系研究者が一堂に集まることができた。開設を機に文化財保存修理の作業設備の見学会、各種講座も同センターで始まった。

開設前の2016年春に開催されたのが企画展「ならまちの南玄関口〜肘塚・京終の歴史文化〜」である。文化財調査修復研究グループ研究員の服部光真（1985年生まれ）（中世史）は「開設のご縁で企画した。地域を回ると、古代から近代まで幅広い貴重な資料を集めることができた。文化財に貴賤はなく、最初は蔵の整理から始まる。何が出てくるかを期待する。見つかったものが評価されたときはとても感激する」と筆者に語った。

服部が、萩原酒店を経営する萩原正弘（1936年生まれ）の自宅（北京終町）を訪ねたときの逸話がある。地元の神社や祭礼等の聞き取り調査を終えて帰る直前、萩原が「こんなん、あるねん」と示した。父・正一がため池の底で見つけた瓦だった。調べると白鳳〜奈良時代のもので、このうち奈良時代の瓦は福寺（廃寺）の前身となる古代寺院のものだとみられた。実に貴重で、企画展で公開された。

萩原は、地元に誕生した総合文化財センターに親近感を持ち、明治〜昭和初期の制作とみられるビール会社の木製看板の修復を依頼した。酒店に残されていた看板なのだが、虫損や腐りがみられた。同センターは全体のクリーニングを行い、腐朽部にアクリル樹脂を浸み込ませて固めた。「神社仏閣や行政からの修復依頼が大半で、個人からの依頼は珍しい」（服部）といい、見事に修復されて萩原酒店の店頭に飾られた。

6 奈良町のにぎわいづくりを目指して

奈良市は2014年、奈良町にぎわい課を新設して奈良町中心部に事務所を置いた。観光振興や産業振興の業務に加えて文化財保全、町家を修復・修景する際の補助金申請業務等を担当する。同市は奈良町の振興に力を入れ、2017年に「新奈良町にぎわい構想」をまとめた。市立施設を次々と新設した。

たとえば2015年11月には奈良町南観光案内所「鹿の舟」が新たに設けられた。蚊帳製造業者が大正初期に建てた奈良町家を活用した試みで、カフェやレストラン等を経営する有限会社「くるみの木」が運営を委託された。同社従業員の藤岡直子（1975年生まれ）によると、行政がこれまで制作した観光地図は寺社が中心に描かれていたが、女性客らが求める飲食・小物等のショップを掲載した案内の地図は少なかったという。そこで同社は自主的に店舗を盛り込んだオリジナル観光マップを作成して来訪者に配布している。藤岡は「来訪者に自信を持ってお店を紹介したいので、従業員自らが足を運ぶ。新規開店や閉店、営業時間帯を確認し、お店の雰囲気を体感するなどして年に1度、地図を更新している」と話した。

京終駅での観光案内所設置もこの流れに沿う。奈良町・猿沢池そばの「ホテル尾花」社長中野聖子（1968年生まれ）は「奈良町の人の流れは北側に偏っていたが、奈良の観光業界はお客様の回遊性が高まることを大いに期待している。近鉄奈良駅からJR京終駅まで歩く。JR京終駅から歩き始めて近鉄奈良駅に至る。いずれも大歓迎」と強調した。中野は2021年3月までNPO法人なら国際映画祭理事長を務めた。現在は相談役だ。理事長のときの第6回映画祭（2020年）では奈良町を散策しつつ宝物を探す企画を初めて取り入れた。奈良町は数多くの日本映画に登場してきたので「奈良町を散策しながら映画も楽しんでほしい」と呼びかけた。

先に紹介したJR京終駅の開所式典には映画人2人の姿が見られた。俳優・加藤雅也が同市観光特別大使に委嘱され、加えて市在住の映画監督・河瀨直美（東京五輪公式映画総監督、カンヌ国際映画祭グランプリ受賞）も飛び入りで駆けつけたのだ。中野によると、加藤も河瀨も紀寺の出身で、地元の小学校の卒業生だという。河瀨作品のなかには、主人公の女性が幼女のときに古びた京終駅舎にたたずむ場面が登場したり、別の作品では自転車で紀寺を走るシーンが見られたりするそうだ。

JR大阪支社副支社長の早川泰正も回遊性に期待する。JRの奈良駅、京終駅、大和路線に予定される新駅は等間隔に位置し、二等辺三角形を形づくるという。「散策を楽しめる観光ルートがつくれそうだ」と語った。

本稿の事例から文化遺産経営をめぐる教訓がいくつも浮かび上がった。1つには1898（明治31）年建築のJR京終駅が復元され、目に見える地域のシンボルができたこと。「アイコン」の誕生に伴い、人々がつながってくる。2つには元興寺文化財研究所の総合文化財センターがJR京終駅近くに移転して企画展を開いたことで、地域の人々が地元にある貴重な文化遺産を再発見した。研究機関が地元に存在することの大切さを思う。3つには自治会、NPO法人、地元住民、行政、鉄道会社、研究機関等を巻き込んだ幅広い官と民の連携がみられたことである。今後も「みなみ奈良町」に注目していきたい。

※本稿は松本茂章「『みなみ奈良町』に吹き始めた新しい風」時事通信社『地方行政』2021年12月23日号の原稿に加筆修正したものである。

注

1）文化庁HP。https://www.bunka.go.jp/seisaku/bunkazai/shokai/hozonchiku/（2021年9月15日閲覧）

2）2021年8月31日には藤岡龍介に、9月1日には中野聖子と丸山清文と服部光真に、9月2日には萩原敏明と萩原正弘に、9月6日には藤岡俊平に、9月9日には徳岡健治と藤岡直子に、9月13日には早川泰正に、それぞれロングインタビューを行った。

3）奈良市HP。https://www.city.nara.lg.jp/site/naramachi/list391.html（2021年9月15日閲覧）

6-3　小泉八雲の文学に着目した観光振興
―松江市のゴーストツーリズム

松本 茂章

1 妖怪や幽霊は地域の観光資源

漫画家・水木しげるが育った鳥取県境港市には「水木しげるロード」が整備され、「ゲゲゲの鬼太郎」などの妖怪ブロンズ像が多数設置されて観光客を集めている。2005年の日本映画「妖怪大戦争」（主演：神木隆之介）は境港などで撮影された。そして2021年8月には同「妖怪大戦争　ガーディアンズ」（主演：寺田心）が公開されて話題になった。徳島県三好市でも妖怪モニュメントを設置した「妖怪ロード」が整備された。このように地域に伝わる怪談や妖怪の伝承を活用した地域振興策は各地でみられる。今や新たな観光資源として注目されるのだ。

毎年10月末の「ハロウィン」は日本でも魔女やお化け等に扮した大勢の若者たちがまちに繰り出して大変な人気である。一方、インターネットで検索してみると、わが国には数多くの「心霊スポット」が存在する。「怖いもの見たさ」の心理は古今東西、共通のようだ。妖怪や幽霊をめぐる伝承や口承は形のない文化遺産である分、イメージがかきたてられ、「行ってみたい」と思わせる観光効果があるようだ。

本稿では、小泉八雲（ラフカディオ・ハーン）に注目し、八雲が443日間にわたって暮らした島根県松江市で展開されるゴーストツーリズムに焦点を当てる。同市が1951年の松江国際文化観光都市建設法に基づき「国際文化観光都市」に指定されて70年。現状と課題を探った。

2 八雲の曾孫が松江に移り住んで

桜が満開だった2021年4月、筆者は松江市を訪れた。JR松江駅からバスに乗って15分余り。松江城お堀端に立地する同市立の小泉八雲記念館に到着した。瓦屋根の武家屋敷風の同記念館は2階建て延べ660m^2。3つの展示室、映像展示コーナー、多目的スペース、ライブラリー等を備え、八雲の遺愛品など約200点を展示している。2019年度の入館者は8万2000人ほどだった。有志らの寄付により1934年に開館。2代目建物の老朽化を受け、同市が5億2000万円余を投じて大規模改修を行い、八雲の日本帰化120年に当たる2016年に再開館した。広さが3倍に拡張された。

笑顔で迎えてくれた館長の小泉凡（1961年生まれ）は民俗学者。八雲の直系のひ孫である。凡は「以前の建物は狭くて展示室は1室だけ。映像を流すスペースや講演会を開く場所もなかった。随分と良くなった」と打ち明けた。東京・世田谷区に生まれ育ち、成城大学大学院文学研究科（前期課程）を修了後、当時の市長に請われて1987年同市に移住、市立女子高に講師として赴任した。その後、島根県立大学短期大学部教授に就任、2018年からは同名誉教授。『怪談四代記　八雲のいたずら』（講談社、2014年）等を著している。曾孫だと意識したのは小学1年だった。「出版社の編集者が子ども向け偉人シリーズの取材で自宅を訪れ、写真のモデルを頼まれた。『先祖に偉い人がいる』と認識した」と語る。とはいえ本格的に八雲を読み始めたのは大学院に進学後だった（写真1）。

写真１　小泉八雲の像と曾孫の凡さん（中央）。うしろは松江城のお堀

八雲は明治期の作家・ジャーナリスト（1850～1904年）。ギリシャに生まれ、アイルランドで育ち、子どものころから霊的に敏感で、妖精話が好きだった。イギリスやフランスで学んだ後米国に移住。米国シンシナティの新聞社に入り、ニューオーリンズには10年間住んだ。ここには黒人奴隷の亡霊の怪談が残されていた。クレオール（混淆）の文化に接し、カリブ海の島にも出向き調査した。1890年、米雑誌社の特派記者として来日したが、間もなく旧制島根県尋常中学校の英語教師に就き、士族の娘・小泉セツと知り合った。このあと熊本の旧制第五高等学校、東京帝国大学、早稲田大学で教えた。セツと正式に結婚したのは、五高のあとに勤務した神戸の新聞社時代だった。セツとの間に男子3人、女子1人をもうけた。

八雲はわが国の妖怪や幽霊の伝承を文字に書いて、世界中に日本文化の魅力を伝えた。英語で執筆して計30冊の書籍を出版した。伝承を現代的にリライトすることで人間と異界の交渉の物語を描いた。これらの「再話文学」は生涯で70話に達した。耳なし芳一、雪女、ろくろ首の怪談がよく知られる。日本における最初の書籍『知られぬ日本の面影』は山陰で取材して熊本時代に出版した。凡は「松江は怪談の多い城下町で、八雲が拾ったのは約50話。松江の暮らしがなかったら、これだけの数を収集できなかった」と解説した。怪談話は松江の城下町の四隅に集中していた。凡は「城下の人々が、まちの外側には魑魅魍魎が住んでいると思い、畏敬の念を抱いていたからだ」と述べる。

3 先駆的なゴーストツアー

凡が初めてゴーストツアーを知ったのは、2005年にアイルランドの首都ダブリンを訪問したときだ。夜のまちを「ゴーストツアー」と大書した2階建ての紺色バスが走っていた。「追いかけて乗車を申し込んだ。チケットは売り切れで、人気に驚いた」という。翌日、チケットを入手して乗車。幽霊が出るという場所やドラキュラの物語を書いた作家の書斎などを巡り、プロの語り部が説明してくれた。帰国した凡は「松江でもやりたい」

表1　松江ゴーストツアー実施状況

年度	回数	参加者数（人）	県外者割合（%）
2008	19	475	33
2009	39	627	46
2010	41	727	40
2011	41	584	74
2012	33	424	64
2013	39	646	82
2014	29	519	74
2015	27	388	73
2016	25	423	79
2017	23	359	73
2018	2	45	−
2019	5	70	60

（出典：小泉凡や錦織裕司から入手したNPO法人松江ツーリズム研究会・松江観光協会の資料を元に松本作成）

と地元のNPO法人松江ツーリズム研究会に相談して実現した。当時の研究会は松江城や八雲記念館など複数の市立観光施設の指定管理者に選定されており、新たな観光企画を検討していた。

2008年度から本格化した同ツアーをけん引したのは同研究会・旅行事業部長だった高橋保（1945年生まれ）である。松江に育ち、近畿日本ツーリストに就職した。松江、高松、広島の支店長を歴任して定年退職。同研究会の人材募集に「地元にご恩返しをしたい」と応じて採用された。高橋は「大都市から地方に観光客を回すという従来型観光から転じて、訪問先に充実したツアーが用意された着地型観光を目指した」と話した。

研究会のツアーは所要2時間で計7か所を巡った。日没直前に集合して松江城内にある幽霊伝説のギリギリ井戸、城山稲荷神社の2か所を訪れたのち、タクシーに分乗して郊外の亀田橋、月照寺橋、月照寺、清光院、大雄寺の5か所を回った。「多様な年齢の方が参加されるので歩き通すのは難しく、途中からタクシーを用いた」（高橋）。参加費は当初1人1500円、その後1800円に設定した。努力が実を結び、最盛期の2010年度には年間41回のツアーを行い、延べ727人が参加した。ゴーストツアーの参加者は女性が70%を占め、30～40代が中心だった。県外者の割合は2013年度には82%に達し、遠方からの客を誘致できることを証明した。

しかしNPO法人職員の高齢化などで指定管理業務およびツアー実施態勢の維持が難しくなったため、2018年度からは市の関連団体である松江観光協会がツアーを引き継いだ。市が補助金を支出する。協会のツアーでは松江城内の散策を行わず、月照寺などの郊外に絞って2.4キロのコースを2時間かけて徒歩で巡る。後述するように案内ガイドの数が足りず、引き継いだ2018～2019年度は1桁の実施回数にとどまった。新型コロナウイルス感染拡大の2020年度は未実施に終わったが、2021年7月24日には2年ぶりにツアーを復活できた。感染防止のために定員10人に限定した。

研究会は2009年9月に「ゴーストツアー」の商標登録を取得した。事業継承とともに観光協会が同登録を譲り受けた。他都市では「ゴーストツアー」の名称を使えない。

4 ツアーを成功させるために

ツアーが成功するための鍵の1つは「語り部」を務めるガイドの力量アップである。八雲文学の魅力を語りながら現場を案内する重要な役割で、語りの出来栄えがツアーの評判を左右する。高橋は「言葉と言葉の間の取り方次第で、語りが感動に変わる」と話した。研究会は志願者20数人に半年の研修を行い、女性3人が残った。研究会がツアー業務をやめるときにガイド3人中2人が勇退。予備校講師の引野律子（1949年生まれ）が1人で頑張ってきた。

引野は市観光ボランティアガイド3期生で、ゴーストツアーガイドが新設された際に「松江の魅力をもっと知ってもらいたい」と志願した。夜間実施だけに独特の難しさがある。「ガイドが『あそこをご覧ください』とご案内しても、闇に包まれているので見えない。物語だけでなく風景も口頭で説明しなくては」と指摘する。引野によるとガイドに向く人と向かない人がいる。「教員ほどガイドに向かない人たちはいない。『これを知っていますか』と質問してしまう」と打ち明けた。そして「男性の方はどうしても説明口調になってしまう」と苦笑しながら話した。ガイドのコツは「声色を使わない」「淡々と語る」「だけど遊び心を忘れない」の３つである。「遊び心」とは？　高橋によると「スタッフが墓地などの現場に先回りして、樹木をガサガサと揺らしたり、事前録音した人や赤ちゃんの悲鳴を流したりするなど、工夫を凝らした」そうだ。

鍵の２つは宣伝である。研究会は宿泊施設の受付職員をツアーに招待して認識を高めてもらった。「フロントの方が自信をもって宿泊客に『面白いツアーですよ』と紹介してもらいたかった」（高橋）からだ。さらに夕刻到着の客が当日夜に参加できるよう、高橋個人の携帯電話番号を公表した。当日夕刻、宿に到着した観光客が部屋に荷物を置いて落ち着いてから「さあ今夜はどうするか」と考える瞬間が大切だという。役所が主導する観光案内所は午後５時30分ごろに閉まるので、当日夜のツアーには申し込めない。凡は「高橋さんの汗のかき方がすごかった」と回想した。

どのようなところを巡るのか？　ツアー先の１つの月照寺は松江藩主・松平家の菩提寺で、歴代藩主の廟所が置かれ、境内全域が国史跡だ。6代目藩主の業績をたたえる寿蔵碑（高さ 4m）の台座が中国の空想上の聖獣「亀趺（きふ）」である。観光協会によると、大亀が夜な夜な城下町を徘徊して人を食らうため、住職が説法し、寿蔵碑を大亀の背中に背負わせて、この地に封じたという。八雲は随筆『知られぬ日本の面影』でこの怪談を紹介した（写真2）。

ツアー客はガイドの案内で闇に包まれた境内を歩く。月照寺の前住職の長男で同寺に生まれ育った安井大真（1976年生まれ、京都大学経済学研究科准教授、東隣の東林寺住職）は「ツアー客の訪問は寺にとっても良いこと。父の昭雄・前住職は『開かれたお寺』を望み、境内を公開することに積極的だった。夜間の境内に入れるよう協力している」と話した。

ガイド１人のピンチに対し協会は2020年度、新ガイド養成に踏み切った。社会人３人、県立大学生４人に研修を行い、2021年３月に修了証を渡した。社会人は20代女性１人、40代の女性と男性各１人。引野と合わせて計８人に増強された。協会常務理事の錦織裕司（1960年生まれ、前同市観光振興部長）は「人材育成はすべての基盤であると痛感した。コロナ禍のなかでもツアーの実施を全国に発信していきたい」と意気込んだ。

同市は2019年に市バスをラッピングして「ゴーストツアー」と大書したバスを用意した（写真3）。凡が強く要望した。同バスがまちなかを走ると、宣伝効果を期待できる。しかし、ツアー料金を高くしないと採算が合わず、使用する機会の少なさが悩みだ。普段は通常の路線バスに用いられている。

5 幾多の課題と将来像

松江観光をめぐる近年の取り組みは主に3つある。1つには夜間観光資源の充実だ。同市観光振興部長の高木博（1962年生まれ）は「2015年に松江城天守が国宝に指定されたこともあり、本市の観光入込客数は感染拡大前の2019年度まで順調に推移していた。宿泊につながるように観光客の滞在時間を長くしたい」と言う。妖怪や幽霊を巡るツアーに加えて、毎年秋には城回りの堀に明かりを灯す「松江水燈路」を実施している。

2つには訪日外国人観光客の獲得である。観光協会の錦織は「フランスでは日本文化への関心が深い。城下町、食べ物、宍道湖の風景への理解力が高い」と述べた。外国人誘致には空路の確保が必須になる。地元の出雲

写真2（左） 大亀が夜な夜な城下を徘徊した怪談が伝わる国史跡の月照寺の寿蔵碑
写真3（右） 「松江ゴーストツアー」と大書した路線バス

空港に海外便は飛んでいないが、隣県の米子空港はソウル、香港とつながる。さらに広島空港とのアクセス確保に目を付けた。広島空港は東京・大阪とつながるうえ、中国・台湾・韓国・香港・シンガポール・タイの各便が発着するからだ。高速バスで広島〜松江は片道4000円。外国人観光客向けの値段はバス会社によって半額に設定され、さらに観光協会が1500円を負担して片道をワンコイン（500円）で乗車できるようにした。

3つには広域観光だ。松江、出雲、安来の島根県側と米子、境港の鳥取県側の5市などは2017年に「圏域観光局」を設置した。県境を越えた観光地域づくり法人（DMO）は異例だ。松江観光協会の観光パンフレットでは他市の観光地も紹介する。松江市は2005年に周辺町村と新設合併、2011年にも編入合併するなどして、15万人から20万人の中核都市になった。

だが、同ツアーには課題が山積する。1つにはツアー実施と旅館・ホテルの食事の時間が重なる。日没10分前にツアーは集合するので、宿泊施設では配膳時間の調整を迫られる。2つには繁忙期と閑散期の差が激しい。冬は寒すぎて通年型の観光資源になりにくい。3つには山陰観光はシニア層が中心なので、いかに若い人を呼び込めるかどうかが分岐点になる。4つには妖怪・幽霊に寄せた土産品をいかに開発するかである。

何より、闇の中を歩くゴーストツアーという特性上、少人数で実施せざるを得ず、「マス」になりにくい点に難がある。

冒頭で紹介した小泉八雲記念館とゴーストツアーは密接な関係にある。ツアーの参加者の多くは八雲記念館にも足を運んでくれるからだ。同館は観光施設として位置づけられ、同研究会のあとの指定管理者は地元新聞社が選定された。凡は「残念ながら常駐の学芸員が配置されていない」と言い、館長自ら学芸業務を担当しているのが現状である。凡の妻、祥子（1960年生まれ）が同館コーディネーターを務め、企画展等を担当する（写真4）。企画展予算の少なさに悩まされながらも、祥子は「充実した解説文を心掛けている。主に館長が書く。英語訳は英国人翻訳家にお願いしており、来

写真４　小泉八雲記念館の外観（中央は小泉祥子さん）

館した外国人から翻訳文が的確だと誉めていただいた」と話した。

記念館の東隣には八雲の旧居が当時のまま残されている。八雲は「庭のある武家屋敷に住みたい」と希望して５か月間暮らした。彼が愛した庭園を、畳に座って曽孫の凡と一緒に眺めることができた。「有形」である松江城天守閣や八雲旧邸と「無形」である妖怪伝承をバランスよく巧みに組み合わせることができれば、新たな展開が可能になるであろう。

※本稿の事例部分は、松本茂章「松江市のゴーストツーリズム」時事通信社『地方行政』2021年９月27日号の原稿をもとに加筆修正したものである。

※小泉凡には2021年４月１日と２日に、錦織裕司には４月１日と３日に、高木博と引野律子には４月１日に、小泉祥子には４月２日に、安井大真には４月３日に、それぞれ聞き取り調査を行った。

■ interview ■

日建設計　ヘリテージビジネスラボ　アソシエイト

西澤崇雄

1966年生まれ。名古屋大学工学部建築学科卒業、同大学院工学研究科修士課程を経て日建設計に入社した。日建設計で長く「免震レトロフィット」の業務に携わってきた。専門は構造設計。博士（工学、名古屋大学、2011）。

新築よりも改修こそが面白い

——「ヘリテージビジネスラボ」とはどんな部署？

日建設計には設計、エンジニア、都市開発等を専門とする部門がある。2021年に新領域開拓部門が新設され、1つの部署として設けられた。すでに2017年から「ヘリテージビジネスコンサルタント」として活動していた。

背景がある。新築の建築市場が縮小しているなか、新しいビジネスを創出しようとする機運が高まったことが、設立の背景に挙げられる。わが社では、社員が力を合わせて、ビジネス上の新しい峰をつくる「造山運動」と呼ばれる活動が行われるようになった。その一環として新規ビジネスを考えるコンペが毎年行われている。第1回の2016年に、歴史的建造物を現代の技術で魅力的に活用する事業を提案して認められた。京都に暮らすなか、歴史的な建物が危機に瀕する実態を痛感したからだ。「何とか守りたい」との使命を感じた。積極的に改修工事やメンテナンスの仕事を取りに行く新部署が必要と思った。

これまでに培った現代の設計技術をもとに改修工事やメンテナンスを行う取り組みが必要だと思った。私自身、長く構造設計の仕事をしてきたので、この技術を活かせないかと提案した。同ラボは現在5人体制。専従は私1人で、他の4人は他部署との兼務だ。

建築の世界では、新築時の出来上がった姿のみを評価する傾向があるが、長く使われ続ける価値が評価されるべきだと思う。

──「ヘリテージビジネスラボ」の仕事とは？

私は「免震レトロフィット」を長く手掛けてきた。建物に免震層を付け加える仕事だ。ビルの基部にゴムと鉄板を積層した「積層ゴムアイソレータ」などで構成された「免震層」を設ける。ビルを持ち上げて柱を切って積層ゴムを少しずつ、少しずつ、丁寧に入れる。

2003年頃にプロポーザルで愛知県庁の仕事を獲得して以降、ずっと途切れることなく、この種の仕事を続けてきた。基部の柱下に順次免震装置を取り付けていくので工事は4年ほどかかった。愛知県庁舎では3万m^2弱となる免震レトロフィットを行った。続いて愛知県警本部、名古屋テレビ塔、京都市新庁舎などを手掛け、これまで10万m^2弱程度の免震レトロフィットを進めてきたことになる。

免震レトロフィットの技術では社内で第一人者の自負がある。他の社では免震レトロフィットを長く、数多く手掛けることは少ないと聞いたことがある。対して弊社は比較的経験者が続けて関与するケースも多く、長く免震レトロフィットに携わることができた。

──名古屋テレビ塔の改修では、どのような役割を果たしたのか？

高さ180mの名古屋テレビ塔は1954（昭和29）年に建てられた日本初の集約電波塔だ。「塔博士」と呼ばれた内藤多仲先生（早稲田大学教授）が設計された。完成後50年を経て2005年には国登録有形文化財に登録された。内藤先生が関与した東京タワーは1958年完成で、名古屋の塔が4年早く全国各地に建てられた集約電波塔の原型（プロトタイプ）である。

名古屋テレビ塔が美しく映る理由は、足元が「抜けている」風景だからとも考えられる。建設する際、公園の下に地下鉄が走る計画が分かっていた。塔の下を地下鉄が走るのは世界でも初めての試みだった。このため足元にビルがない。名古屋テレビ塔は、4つの足の下から真上に塔を見上げることができる。「塔の博士」とされる内藤多仲先生はパリのエッフェル塔を強く意識して設計された。

私自身が最初に名古屋テレビ塔と関わったのは、名古屋オフィスに在籍していた2000年から2010年頃まで。今回の改修では当時提案した耐震レトロフィットの方向性が実現する形で貢献できたと思う。制振では耐久性の改善に限界があるうえ、新しい補強材を加えると外観が変わってしまう恐れがあった。このため塔を支える4本の足元に積層ゴム等を設ける免震レトロフィットが採用された。

今回の改修では、免震などの工事に加えて事業収入を改善する狙いもあった。従来のテレビ塔にはアナログ放送の電波使用料があったが、放送のデジタル化に伴い、2011年にアナログ電波の発信を終えた。発信に伴う収入がなくなってしまった。テレビ塔を取り壊す話も出されたようだが、「名古屋らしい」風景として定着していたので、行政、財界、市民の声は「保存」に傾いた。名古屋テレビ塔株式会社が今回の改築や免震工事を推進した。

名古屋テレビ塔は公園の上に建てられた「道路上工作物」である。建築物ではなかった。床を積極的に商業目的に使うためには建築物にする必要があった。建築物には免震構造が求められ、耐火性能が問われた。人々が避難するため、2方向に避難通路を確保しなくてはならなかった。

テレビ塔の4～5階はホテル（15室）に改装された。従来、各テレビ局の放送機材が入っていたが、デジタル化に伴い撤去したので、このスペースがホテルに変身した。新たな1～3階にはカフェ、レストラン、コワーキングスペースなどを配置した。テレビ塔の横には低層エレベーター棟を新築した。設備機械はここに収納できるようにしていた。

外観はほとんど従来のまま。既存の地上から3階に上がるための小さなエレベーターは、一部から「壊しては」の声もあった。しかし近代建築の雰囲気を伝えるために、そのまま残すように意見した。エレベーターの昇降空間に設けられたらせん階段には近代建築らしい雰囲気がある。この空間を壊してしまうと雰囲気が失われると懸念した。

コロナ禍のなか2020年7月に再オープンしたので話題になりにくかったものの、テレビ塔改修の意義は大きい。1つには築50年余りの建築物を継承できた。2つにはテレビ塔が電波発信という役割を果たしたあとも「定着した風景」として継続できた。

改修工事にあたって組織した文化財委員会の一員として、テレビ塔では国登録文化財第1号となる塔の修理報告書作成を担当した。貴重な記録として残っていく。他の塔の先例になる。

──ヘリテージに関わる仕事のやりがい、面白さは？

海外の建築家は「新築よりも改修の仕事こそが面白い」と語る。既存のものと自分のデザインを融合させていけるからだ。大英博物館のグレートコートには現代的な新しい屋根が設けられた。ドイツ連邦議会ではガラスのドームが新設された。ルーブル美術館では中庭中央にガラス製のピラミッドのエントランスが新築された。このように古い建物にわざと近代的なデザインを付け加え、時代を区分して新旧を調和させる。歴史の重みを有する建物に新しく現代的な意匠がすっと入ると、双方がぐんと引き立つ。

京都市文化財マネージャー養成講座を受講した。修了して「文化財マネージャー」となった。受講生は5人で1つの班をつくり、一緒にレポートをまとめる。とてもいい経験になった。NPO法人「古材文化の会」等が主催する京都の講座の参加資格は建築士に限らない。文化財所有者や建築の専門家でない方も多くて多彩な顔触れだった。建築士でない方の意見を聞くことができて楽しかった。登録文化財所有者の生の声に接した。所有者の「お困りごと」が分かって良い経験になった。この受講経験も、冒頭に申し上げた新ビジネス（ヘリテージビジネスラボ）のヒントになっている。

現在は京都市庁舎の改修工事を手掛けている。本庁舎は1927（昭和2）年に完成した歴史的な建物で、京都大学教授の武田五一先生が監修された。同庁舎は指定文化財ではないので、自由に改修できる点が魅力的だ。1階

写真１　日建設計のヘリテージビジネスラボが改修工事に関わった名古屋テレビ塔（左）と京都市役所の本庁舎（右）（西澤崇雄撮影）

の床を取り外して地下通路から市庁舎に上がれるようにする。

愛知県庁で免震レトロフィットを行った当時は国の登録文化財だった。免震工事を施したあと国の重要文化財に指定された。本当にやりがいを感じた。文化財建造物の維持保全はこれまで神社仏閣などの維持・補修が多く、近代建築修復の担当者が不足している。近現代建築の建物をどう残していくのか？　が大きな課題となっているだけに、課題解決のために、これからも貢献していきたい。

（2021 年 7 月 2 日インタビュー　松本茂章）

第7章 自然遺産を地域に活かす

7-1 博物館と観光振興 ―福井県立恐竜博物館の取組み

朝倉由希

1 博物館と観光

本稿では、恐竜化石の一大産地である福井県勝山市に所在する福井県立恐竜博物館（以下、恐竜博物館）を事例として、恐竜化石が観光資源となったプロセスを紹介し、マネジメントのあり方を検討する。

近年博物館は、社会教育機関としての役割注1)や、資料の収集・保管、調査・研究、展示・教育といった基本機能注2)に加えて、より広い役割が期待されている。文化庁が2018年7月に出した『多様なニーズに対応した美術館・博物館のマネジメント改革のためのガイドライン』には、「美術館・博物館は、社会全体との関わりにおいてより一層の社会的・経済的な役割を担うことが期待されている」とある。

博物館が社会の中で果たし得る役割は、文化、社会、経済にわたる多面的な広がりがあるが、政府が進める観光立国政策において、博物館・美術館は文化観光拠点としての役割が強く期待されるようになっていることから、とりわけ博物館と観光をめぐる議論は活発になっている。博物館の規模や内容、目的、立地条件等は様々であり、観光施設としての役割や地域の経済活性化を一律に求めることはなじまず、慎重な議論が必要であるが、地域の博物館が社会に開かれた存在としてその資源を活かし、より多くの人に親しまれるようになることは重要であろう。

恐竜博物館は、恐竜化石の学術的価値を基本としながら、年間100万人に迫る来館者を誇り、観光資源としても注目される。どのようなマネジメントの工夫に基づいているのか、これまでの経緯から紐解いてみよう。

2 福井県立恐竜博物館の事例

(1) 博物館の概要と基本理念

恐竜博物館は、国内最大級の地質・古生物学博物館である。建物は山間の地形の起伏を利用しており、森に囲まれた銀色の卵のような外観は、周辺の自然環境とも調和している（写真 1)。3 階のエントランスから地下 1 階に伸びる長いエスカレーターをくだりトンネル状の廊下を抜けると、眼前に恐竜の世界が広がる。ドーム状の展示室は 4500m^2 の無柱空間構造で、「恐竜の世界」「地球の科学」「生命の歴史」の 3 つのゾーンから構成される。「恐竜の世界」には、44 体もの恐竜全身骨格があり、10 体は実物である。巨大な恐竜復元模型は大迫力で、対面スクリーンには CG 画像で太古の情景の中を恐竜が動き回る。空間の雰囲気から、音や動きを使った五感にうったえる展示方法まで、恐竜の世界に没入できる仕掛けがはりめぐらされている（写真 2)。

恐竜博物館の基本理念は、1 点目に、恐竜を中心とした古生物やその背景となる地球の歴史を対象にし、国際的な視野に立った恐竜化石研究の拠点となる施設とすること、2 点目に、展示等を通じ研究成果の先端的な情報を誰にでも分かりやすく提供するとともに、さまざまな情報通信手段に

写真 1　博物館の外観

写真 2　博物館展示室「恐竜の世界」

より世界規模で研究情報の受発信を行う情報センターとしての役割を担う施設とすること、3点目に、大人から子どもまで、また一般から研究者まで幅広い層の知的ニーズに応え、学術的な裏付けをもとにしながら、参加者、体感性を重視した楽しく親しみやすい施設とすること、4点目に、恐竜化石発掘現場などの屋外の自然環境を広く利用し、体験学習も行えるフィールドミュージアムとしての性格を兼ね備えた施設とすることである。

さらに、展示に関する基本的な考え方としては、①恐竜という親しみやすい素材を中心に、地球自然体を体系的に学習できる展示を目指す、②恐竜のスケール感、地球史の壮大なロマンをドラマチックに伝える展示を行う、③実物をしっかり見る、観察する、考えるといった学習参加ができる展示を行う、④研究成果、新しい発見や学説を反映し、最新の情報を得ることができる展示を行う、の4点が掲げられている。

このように、国際的な研究拠点としての役割を持ちながら、幅広いニーズに応える施設とするという基本理念に基づき、学術的な裏付けを重視したうえで、参加性、体感性のある展示が目指されている。

(2) 化石の発見から恐竜博物館の開館まで

化石発見から恐竜博物館開館までの経緯をたどってみよう。1982年、福井県勝山市北谷町で中世代白亜紀前期のワニ類全身骨格化石が発見された。1986年、同じ手取層群の石川県白峰村（現白山市桑島）から、肉食恐竜の歯の化石が発見されたことにより、[注3)] ワニ類化石が発見されていた福井県での恐竜化石発見への期待が高まった。1988年、福井県立博物館[注4)] が行った予備調査で肉食恐竜の歯が発見される。この発見を受け、1989年から本格的な恐竜化石調査事業が開始され、8種類の恐竜をはじめとする多数の化石が発見採集された。その数は日本で発掘された恐竜化石の大部分を占めるとともに、質的にも優れ、勝山は一躍日本最大の恐竜化石産地となった。

当時の県立博物館の自然系の展示面積は狭く、恐竜化石の発見を受けて増築計画案が検討されていたが、増築ではなく、県立博物館から自然系を分離する形で新博物館の建設が目指されることとなる。1995年に「福井県立恐竜博物館（仮称）基本構想・計画策定委員会」が立ち上がり、2000年7月、勝山の化石発掘現場から約7kmの場所に、恐竜博物館が開館する。注5)

開館から14年目の2014年7月には、恐竜化石発掘現場の隣接地に、野外恐竜博物館がオープンした。化石発掘を体験し、手取層群を間近で見学することができる、フィールドミュージアムである。なおこの一帯は、学術上重要な標本とその産地として貴重であるということから、2017年に国の天然記念物「勝山恐竜化石群及び産地」に指定された。

また、勝山市全域が「恐竜渓谷ふくい勝山ジオパーク」として、2009年に日本ジオパークに認定されている。注6) 恐竜博物館と発掘現場は、ジオサイト（ジオパークの見どころとなる場所）として位置付けられており、ジオパーク活動全体を充実させるうえで核となる役割も担っている。

福井県立博物館から分離し、恐竜をメインテーマとした博物館として、しかも発掘現場のある地域に建設されたことは、地域資源の活用と発信の場としての博物館を実現するうえで意義深い選択であったと考えられる。

(3) 恐竜博物館の活動基盤

恐竜博物館は、福井県の直営施設である。2019年度の歳出（歳出は職員給料を含まない）は7億5416万4千円、歳入は5億2020万6千円、歳出に対し歳入は約68％である。注7) 歳入のうち、観覧料収入は3億2349万2千円で約62％をしめ、他の収入には、図録、受託事業収入、特別展収入、ミュージアムショップ売り上げ手数料等の項目がある。

『日本の博物館総合調査報告書』によれば、博物館全体の総収入に占める入館料収入の割合は、平均値で2割程度であり、日本の博物館は入館料に頼る部分が少ない状況がうかがえる。注8) そのような全国の状況と比較して、恐竜博物館の収入の割合の大きさは際立っている。

組織は、利用サービス室、事業教育課、研究・展示課に分かれている。事業教育課は、事業グループと教育普及グループに分かれ、事業グループにおいて、誘客促進につながる営業推進、広報事業やPR活動を担当している。教育普及グループは、教育普及の推進、学校教育との連携推進に加え、野外恐竜博物館の運営を担う。

研究・展示課は、調査研究、展示の管理運営、国内外の博物館との連携を担っている。課員27名と人数が最も多く、研究職13名、学芸員3名が置かれている（2021年4月1日現在）。なお、福井県立大学に2013年に恐竜学研究所が開設され、恐竜博物館の4名の研究員は福井県立大学との併任である。大学と密接に連携し、調査研究・人材育成が行われている。

(4) 入館者数増加を支えた県のブランド戦略

開館からこれまでの歩みをたどってみよう。開館初年度の2000年度は「恐竜エキスポふくい2000」を開催したこともあり、年間入館者は70万人を超えた。2001年度から2005年度は約25万人で推移するが、2007年度には30万人を超え、開館10周年となる2010年には50万人を突破する。2013年度と2014年度は2年連続で70万人を突破、2015年度は90万人を突破し、以降80～90万人を維持している（2020年は新型コロナウィルス感染拡大による臨時休館と入場者制限措置により減少した）。(表1)

入館者が着実に増加を遂げてきた背景には、福井県のブランド戦略があった。福井県は、2003年に就任した西川一誠知事[注9)]のもと、県のブランド戦略を検討する中で、他のどこにもない、福井に突出したものとして恐竜に着目し、恐竜をブランド戦略の核に定めた。

2006年から、恐竜ブランド発信事業の予算がつき、全国各地で開催される恐竜企画展への出展、学校等に対する誘客セールス、子どもを対象としたブランド発信など、多岐にわたるPR活動が展開され始める。

2012年度には、機構改革により「営業推進課」が設置された（現在は事業教育課）。それまで利用サービス室を中心に行ってきたブランド発信事業や各担当者が実施してきた教育普及を統合し、標本貸出、旅行会社、企業、各種団体等への営業、企業とのコラボレーションをより強力に展開した。営業推進にも研究員の知識や能力を活かすために、研究員も兼務の体制になっていることが特徴的である。

2013年度は、70万人を突破し、対前年度比約31%の大きな伸びを示している。そのきっかけとなったのは、カマラサウルスの骨格の購入である。アメリカワイオミング州で発見されたカマラサウルスの全身骨格を2009年度に購入し、埋もれたままの状態で運びこんでいたが、4年間かけてクリーニングを行い、2013年の春に公開した。その際に、通常は一般の人が目にすることのない組み立て作業を見学できるようにし、テレビでも中継するなど、積極的なPR活動を行った。展示に至るまでのプロセスを活用してPRにつなげる手法は、研究拠点であるからこそ可能なことであろう。

テレビドラマや子どもに人気のスーパー戦隊シリーズに恐竜が取り上げられたことも、恐竜博物館の知名度を向上させた。2015年3月14日には北陸新幹線金沢開業により首都圏からの来館者が増加し、2015年度の入館者90万人超え（前年度比約31%）につながった。

営業推進のみならず、地域博物館の重要な役割として、充実した教育普及事業を行っていることも強調しておきたい。在籍する研究員の専門分野を中心に、最新の研究や古生物学の知識をわかりやすく普及する講座や実習型の教室を、年齢に応じたコースを設定して開催している。

また、研究拠点として国内外のネットワーク形成も着実に積み重ねてきた。カナダのロイヤル・ティレル古生物学博物館、中国の浙江自然博物館、

表1　恐竜博物館入館者数年度別推移（2000～2020年度）

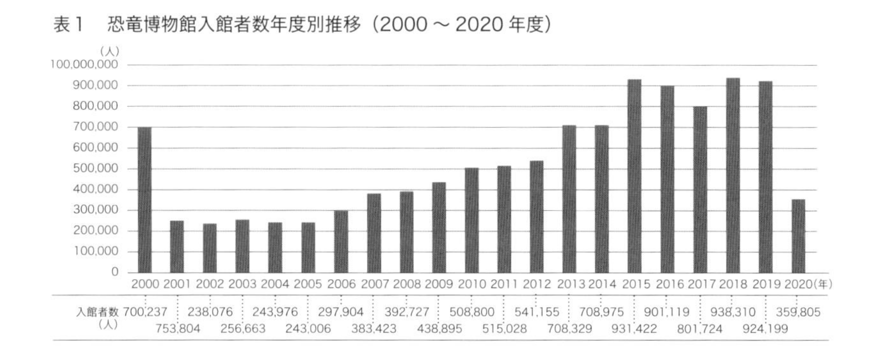

年	入館者数（人）
2000	700,237
2001	753,804
2002	238,076
2003	256,663
2004	243,976
2005	243,006
2006	297,904
2007	383,423
2008	392,727
2009	438,895
2010	508,800
2011	515,028
2012	541,155
2013	708,329
2014	708,975
2015	931,422
2016	901,119
2017	801,724
2018	938,310
2019	924,199
2020	359,805

アメリカのカーネギー自然史博物館など、現在までに海外の9つの研究機関と姉妹提携を結び、学術研究、展示、教育普及、資料収集等における相互交流を深めてきた。さらに、アジア地域の共同研究も進められている。

3 博物館としての使命と観光のバランス

ここ10年ほど入館者の伸びが著しく、観光施設としても注目が集まる恐竜博物館であるが、博物館の研究機関や社会教育施設としての使命と観光施設としての役割を、どのように考えているのだろうか。竹内利寿館長は、両者のバランスをとることが大切であると、次のように語る。「観光だけだと俗化する。研究だけだと客が遠のく。どちらかが重すぎてもバランスを崩してしまう。ヤジロベイみたいにバランスをとることが大切です。」そのうえで、「恐竜博物館にとって研究は生命線」と研究の重要性を強調する。展示は研究員の成果を広く公開する場であり、学術的な裏付けに基づき、研究成果を効果的に伝えるために効果的な手法や新しい技術を導入している。研究成果を反映して、五感を使って楽しく学べる体験型施設を実現しているのであり、それは観光施設としての魅力にもなる。恐竜博物館が開館当初から掲げる、研究拠点としての機能を重視しつつ、その成果を幅広い層に届けるため、楽しく親しみやすい展示を行うという基本理念とも齟齬はない。

また、竹内館長は、恐竜博物館単体で入館者が増えることがゴールではなく、地域全体への波及が重要であり、恐竜博物館は県全体やより広域圏の活性化を牽引する役割を担う存在であるととらえているという。高い波及効果をもたらすためにも、恐竜博物館の魅力を発信し来館者を増やすとともに、恐竜博物館を核に県内の周遊や近隣県を含めた連携を進めることが今後さらに求められよう。

現在、恐竜博物館は増改築を進めており、2023年夏のリニューアルオープンが予定されている。来館者の増加により混雑が生じ、鑑賞環境の悪化が課題であったことから、安心、安全にゆったり楽しんで観覧できる環境づくりを目指し、リニューアルが進んでいる。ちょうど2023年度には、北陸新幹線の敦賀（福井県）までの延伸が予定されている。また、2022年度には中部縦貫道が大野から和泉（福井県）間で開通し、白鳥IC（岐阜県）で東海北陸自動車道とつながることになり、東海地方からの来館者増加が見込まれる。これまでも外部環境の変化を好機として活用し、誘客につなげてきた恐竜博物館は、リニューアル後の快適な観覧環境の実現に加え周辺交通の変化も追い風となり、ますます多くの人を魅了する博物館となるだろう。

4 研究成果を基盤に高まる恐竜博物館の存在価値

恐竜博物館は、研究機関、社会教育機関、観光拠点という役割を、矛盾なく連関させ、かつ循環させて進化しているように感じられる。国際的な拠点として研究が進展すれば、その成果は展示や教育事業に反映され、多くの人を持続的にひきつける。県のブランド戦略の核に恐竜が位置付けられ、積極的な営業推進がなされたことは認知度の向上に大きな役割を果たしたことは確かである。しかし何よりも、来館者を心から楽しませる体感的な展示の工夫と、その裏付けに最先端の研究成果があることが、恐竜博物館の存在価値を高めているといえるだろう。

謝辞

本稿の執筆にあたっては、福井県立恐竜博物館館長・福井県顧問（恐竜ブランド推進）竹内利寿氏、同事業教育課教育普及グループリーダー主任松下准城氏にインタビューに応じていただくとともに、貴重な資料を提供いただいた。心より感謝申し上げる。

参考文献

・公益財団法人日本博物館協会『日本の博物館総合調査報告書』2020年9月福井新聞連載『化石ジイさん東洋一の追憶』(2021年1月29日～4月2日)
・福井県立恐竜博物館『福井県立恐竜博物館要覧』2020年6月
・福井県立恐竜博物館『福井県立恐竜博物館年報』第1～21号

注

1）博物館は、社会教育法で「社会教育のための機関」と位置付けられる。
2）博物館法第2条で「歴史、芸術、民俗、産業、自然科学等に関する資料を収集し、保管（育成を含む。以下同じ。）し、展示して教育的配慮の下に一般公衆の利用に供し、その教養、調査研究、レクリエーション等に資するために必要な事業を行い、あわせてこれらの資料に関する調査研究をすることを目的とする機関」と定義されている。

3) 1982年、福井県鯖江市の中学生松田亜規さんが石川県白峰村で動物の歯の化石を採集し保管していたものが、1985年に恐竜の歯の化石であると判明し、1986年に発表された。

4) 現福井県立歴史博物館。所在地は福井市。1984年開館。当初は自然、歴史、民俗、産業に関する総合博物館であったが、2000年、自然分野に関する展示は開館した恐竜博物館に移管した。

5) 化石の発見から恐竜博物館の開館までの経緯は、福井新聞連載「化石ジイさん東洋一の追憶」(2021年1月29日～4月2日）を参考にした。

6) ジオパークとは、地球科学的な価値を持つ大地の遺産を保全し、教育やツーリズムに活用しながら持続可能な開発を進めるプログラム。日本ジオパークネットワークへの加盟を認定された地域が日本ジオパークである。

7)『福井県立恐竜博物館年報 第20号』。新型コロナウィルス感染拡大の影響を受ける前の2019年度決算を掲載した。

8) 2020年10月に実施した調査。全国4178施設を対象とし、2314施設から有効回答（55.4%)。回答した施設は2018年度の実績を答えている。様々な規模、種類の博物館が含まれるのでばらつきは大きい。

9) 2003年から2019年まで4期にわたり福井県知事を務めた。

7-2　世界農業遺産を特産品づくりと観光に活かす
―掛川市東山地区の茶草場農法

松本茂章

1 世界農業遺産の概要

2017年施行の文化芸術基本法に「食文化」が新たに盛り込まれ、農林水産省も政府の文化政策に関与することになった。新設された文化芸術推進会議の構成員に農林水産省食料産業局長が、同会議幹事会に農林水産省食料産業局食文化・市場開拓課長がそれぞれ加わった。そこで文化遺産経営を考えるうえで、食文化や世界農業遺産の現状と課題を取り上げることにした。

農林水産省のHPによると、世界農業遺産とは、世界的に重要かつ伝統的な農林水産業を営む地域（農林水産システム）を、国際連合食糧農業機関（FAO）が認める制度である。世界22か国62地域が、日本では11地域が認定されている（2020年6月現在）。[注1] 日本の11地域は表1の通りである。

FAOの定めた5つの認定基準は、①食料及び生計の保障、②農業生物多様性、③地域の伝統的な知識システム、④文化、価値観及び社会組織、⑤ランドスケープ及びシースケープの特徴、とされている。

本稿では静岡県における茶草場農法に着目する。同農法が国際連合食糧農業機関から評価された理由は、伝統的な農法を守ることが生物の多様性に貢献している貴重な事例であるからだという。

2 粟ケ岳山頂に開業した茶草場テラス

静岡県掛川市にある独立峰・粟ヶ岳（標高532m）の山頂から眺める風景は絶景である。2020年10～11月、山頂の市立観光施設「粟ヶ岳世界農業遺産茶草場（ちゃぐさば）テラス」に登った。正面には太平洋、蛇行しながら流れる大井川、左手には富士山と南アルプスの山並みを見通せる。世界農業遺産

表1　世界農業遺産に認定された日本国内の11地域

地域名	認定年	都道府県
トキと共生する佐渡の里山	2011	新潟県
能登の里山里海	2011	石川県
静岡の茶草場農法	2013	静岡県
阿蘇の草原の維持と持続的農業	2013	熊本県
クヌギ林とため池がつなぐ国東半島・宇佐の農林水産循環	2013	大分県
清流長良川の鮎－里川における人と鮎のつながり－	2015	岐阜県
みなべ・田辺の梅システム	2015	和歌山県
高千穂郷・椎葉山の山間地農林業複合システム	2015	宮崎県
持続可能な水田農業を支える「大崎耕土」の伝統的水管理システム	2017	宮城県
静岡水わさびの伝統栽培－発祥の地が伝える人とわさびの歴史－	2018	静岡県
にし阿波の傾斜地農耕システム	2018	徳島県

（出典：農林水産省HP）

に認定された茶草場農法の広大な茶畑と、世界文化遺産の富士山の姿という「2つの世界遺産」を同時に眺めることのできる点が魅力だ。

栗ヶ岳はJR掛川駅から北東8km余り。山頂は地元財産区が管理する。斜面に「茶」の文字（縦横130m）を描いたヒノキが地元農家によって植えられ、同岳南麓の東山地区は「茶文字の里」と呼ばれる（写真1）。

山頂の茶草場テラスは2019年5月30日に開業した。木造軸組み工法の2階建て延べ257m²。同市が事業費約1億6000万円を投じて厨房、店舗、無料休憩施設、トイレ、展望台等を設けた。1階店舗では特産食材を用い

写真1　独立峰・粟ケ岳（532m）の外観

写真2　茶草場テラスの風景

た定食（1200円）、特産の深蒸し茶セット（500円）、かき氷などを提供。モニター画面ではお茶栽培の映像を映し、生息する植物の写真も展示していた（写真2）。

山頂には、麓から歩いて登ると片道1時間、車なら12～13分で達する。ここには1980年に建てられた市立の無料休憩所があったが、ハイキング客に麺類を提供する程度で、茶関連商品を取り扱っていなかった。老朽化のために取り壊した。

同テラスが新設されて以降、予想を上回る人気ぶりである。若い女性の姿が随分と増えた。年配の登山客中心だった客層が変わり、遠方からもやって来る。開館前、市は同テラスの来訪者を年間3万5000人と試算していたが、2019年6月からの12か月間で予想より約1.8倍の6万1700人に達した。登頂者が「SNS映え」する風景を発信して口コミで魅力が広がった。新型コロナウイルス感染拡大の2020年も順調な客足だった。同市産業経済部は「山頂の施設は風が吹き抜けるので換気が良く、文化施設に比べて客足は落ちなかった。掛川の新名所にしていきたい」と位置付ける。

悩みは道路事情である。テレビ局電波中継所を建設するために造成した山道（市道）が山頂に通じているのだが、車が急増して土日曜は混み合う。狭いところの幅員は2.5mしかなく、すれ違いが難しい。山頂駐車場2か所（計50台分）も多い日はあふれた。そこで市は混雑する土日曜や連休には市の負担で警備会社に交通整理を依頼した。

3 世界農業遺産の「茶草場農法」

市が同テラスを新設した理由は、観光資源づくり、特産茶のPRに加えて、世間に茶草場農法をもっとアピールするためである。茶草場農法とは何なのか？　お茶は寒さに弱く、春先の霜を防ぐことが欠かせない。このため茶畑に高さ5mほどの防霜ファンを林立させ、気温が3度ほどになるとファンが回って空気をかき混ぜ、霜を防ぐ。

防霜ファンに加えて、県内一部地域の農家は、斜面などに育った茶草（ススキやササなど）を刈り取り、乾燥させて細かく砕き、茶畑の畝間に敷き込む。柔らかくて「スポンジ」のようになって寒害を防ぎ、保温効果がある。「良い土」をつくることで養分補給になる。大雨時の土壌流失も防ぐ。こうした良質の茶を育てる農業システムである同農法は150年ほど前から続けられてきた（写真3～4）。

同農法に注目した国連食糧農業機関（FAO）が2013年、掛川市など4市1町を範囲に「静岡の茶草場農法」を世界農業遺産に認定。同県と4市1町によって同農法の推進協議会が組織されている。同協議会の調べでは2021年2月現在、実践農家434戸、茶草場面積381ha。このうち掛川市は193戸、242haを占める中心だ。同市お茶振興課主事の本間匠（1985年生まれ）は「世界農業遺産で栽培された、おいしいお茶のブランド価値を高めて、一層都市部に売り込む」と意気込む。

同課によると同農法では年に1度、晩秋の時期に茶草を刈り取る。繊維質が硬化した草が必要だからだ。このために刈り取り後の地面は更地になり、太陽の光が差し込むので、背の小さな草花や生存競争に弱い昆虫でも生息できる。市のまとめでは、全国的に数が減っている草原性の植物が300種類以上生息するという。5月には黄色のキンラン、6月にはピンク色のササユリ、8月には絶滅危惧種で紫色の花をつけるキキョウなどが咲く。静岡固有種としては黄色い花のフジタイゲキ、羽根が退化したカケガワフキバッタなどを観察できる。

写真３　茶草を刈り取る様子（掛川市提供）

写真４　茶草を茶畑の畝間に敷き込む様子（掛川市提供）

4 株式会社「茶文字の里　東山」

掛川市は「お茶どころ」として知られ、1114haの茶畑がある。全国茶品評会・深蒸し煎茶部門の産地賞を全国最多の23回受賞してきた。特に東山地区は「最も本格的に茶草場農法に取り組んでいる地域」（同課）だ。茶農家は59戸で、全戸（同協議会認定）が同農法を守り続けてきた。農家は茶商社に納品するほか、地域団体商標に登録した「東山茶」を直販する。お茶を飲む習慣が薄れ、茶価が下がるなか、「おいしい東山茶をもっと普及したい」として、地元有志らで構成した任意団体が2006年、同岳山麓に休憩所兼アンテナショップ「東山いっぷく処」（以下、山麓店）を建て、東山茶や地元栽培の野菜等を売り始めた。そして先述の市立山頂休憩所の経営も任された。

世界農業遺産の認定から２年後の2015年４月、同処を経営する株式会社「茶文字の里　東山」を設立。農協理事や元農業委員ら５人が取締役に就任した。同処の実績から茶草場テラス（山頂店）の経営も同社が引き受け、市から年間120万円で管理業務を委託されている。コロナ禍の前までの実績では山麓店と山頂店とも売上高、来客数が右肩上がりに伸びた。任意団体の時代には健康づくりのシニア世代を中心に県内客が大半だった。しかし世界農業遺産認定に伴い、自然観察に適した場として知られるようになり、同テラスの開業を機に一気に若い世代にも魅力が伝わった。

売上額の推移をみると、山麓店が山頂店を上回ってきたが、2019 年度に初めて山頂店が山麓店を超えた。山頂店の 2015 年度と 2019 年度を比べると、売上額は 6.6 倍、来客数は 2.4 倍に膨れ上がった。〈茶草場テラス効果〉である。だからといって山麓店が不振になった訳ではない。2019 年度の山麓店売上額は 1237 万円で初めて 1000 万円を超えた。2015 年度と比べると 5 年間で 3.4 倍の売り上げアップを記録。来客数も 2.8 倍になった。両店を合わせた 2019 年度総売上額は 2015 年度に比べて 4.7 倍に達した。2019 年度は税引き後で 267 万円の黒字だった。コロナ禍の 2020 年度も売上額は山麓店 1349 万円、山頂店 1728 万円の計 3077 万円。来客数は山麓店 3 万 236 人、山頂店 5 万 7918 人の計 8 万 8154 人と過去最高だった。

5 関わる人々

株式会社「茶文字の里　東山」の代表取締役社長は田中鉄男（1948 年生まれ、前掛川市農協組合長）である。父も茶農家だったが、茶畑は 65a（アール）と狭かった。肉牛 30 頭を飼ったり、農閑期には長距離トラックの運転手をしたりしてお金を貯め、茶園を少しずつ買い足した。3.1ha の畑で茶を栽培、荒茶製造工場を自営した。田中はフットワークが軽い。茶草場テラス（山頂店）厨房の忙しさを見ると、さっと立ち上がり皿洗いを手伝う。行政に対して「茶草場テラスは市の観光交流課、お茶振興課、農林課、都市政策課などと関係部署が多い。縦割り行政にならないように、情報をもっと共有化してほしい」と求めた。

同社取締役の杉山敏志（1951 年生まれ）は前農業委員。白いタオルを頭に巻いた姿がトレードマークだ。同処に常駐して来客者に無料で東山茶をサービスする。地図を広げて歩くコースを伝授する。笑顔で「ニホンカモシカに会えるかもしれません。おとなしいので写真を撮っても大丈夫」「山頂ではぜひ茶草場テラスに寄ってください」と来訪者に語り掛けた。そして筆者に「みなさんに東山茶を飲んでもらうことで茶草場農法を守れる。若い人がお茶を買ってくれると実にうれしい」と話した。

表2　粟ケ岳山麓店（東山いっぷく処）と山頂店（茶草場テラス）における年度別の売上額・来客数（単位：円と人）

	2015	2016	2017	2018	2019	2020
山麓売上	3,595,529	6,803,802	9,493,256	9,517,116	12,374,883	13,494,394
山頂売上	2,475,960	5,222,369	6,312,984	1,769 166	16,317,431	17,284,083
総額	6,071,489	12,026,171	15,806,240	11,286,282	28,692,314	30,778,477
山麓来客	11,105	15,888	21,386	20,128	30,778	30,236
山頂来客	19,398	25,426	28,854	7,914	46,514	57,918
総数	30,503	41,314	50,240	28,042	77,292	88,154

（茶文字の里発行「いっぷく処通信」等をもとに筆者作成）
（山頂店は2018年度、工事に伴い4～6月だけ営業。2019年度は5月30日に開業）

茶畑の色は四季ごとに変化する。黄緑から深緑に色づく風景を見ながら散策やサイクリングを楽しめる。さらに栽培や生産の様子を見学したり、地元のお茶を満喫できたりすれば観光資源になる。農家に宿泊してもらう観光振興策が動き出し、2020年4月、かけがわ粟ケ岳山麓農泊推進協議会（13団体加盟）が設立された。事務局業務は観光コーディネーターの山田幸一（1965年生まれ）が引き受けている。

山田は東山の隣の日坂地区で空き農家を借り、妻の京子（1966年生まれ）と2017年10月から体験型古民家宿「旅ノ舎（たびのや）」の経営を始めた。2食付きで1泊1万2800円から。最初の宿泊客は東海道を歩く東京の男性だった。感染拡大前の2019年の場合、訪日外国人が30％近くを占めた。欧州人が中心だった。宿泊客の半数はお茶摘み体験や粟ケ岳の山頂訪問を希望する。そこで農家と提携して茶生産の仕事場を見学させてもらったり、自ら車を運転して同テラスを訪れたりする。現在の山田は、近くで森林保護活動を行うNPO法人の所有する2か所を含め、民宿計3か所の販売を手掛ける。

山田は同市出身。近畿日本ツーリストで国内旅行企画の仕事に携わった。「地域の人たちとつながりたい」との思いから48歳で退社。国立美ら海水族館のある沖縄県本部町に3年間移住。観光コーディネーターの仕事を始めた。2017年5月、本州に戻り、古里・掛川の山間部に残された空き農家を見つけ、「ここなら」と開業を決意した。「茶草場農法のことは知らなかった。地元に帰ってきて魅力ある文化資源を再発見した」と語る。

東山地区で農泊を行う茶農家は今のところ「ゼロ」である。農作業に忙しく、副業に手を出す余裕がないからだ。山田は「粟ケ岳周辺の地域に可能性を感じている。民宿が10か所まで集積すれば宿泊地としてアピールできる」と述べた。東山地区で茶摘み体験を依頼する場合、山田は先述の杉山に相談する。杉山は「茶価格が低下するなかで本業だけでは厳しい。農泊など観光面の充実も急がれる」と話した。

6 茶業と茶草場農法の将来像

これからは茶業振興・観光開発・自然保護の兼ね合いが難しくなる。自然環境調査会社「遊然舎」代表の太田峰夫（1952年生まれ、同市在住、森林インストラクター）は、生物調査のため同岳山頂に百数十回も登ってきた。「茶草場農法は生物多様性があってこそ世界農業遺産に認定された。観光開発に力を入れすぎて、生物多様性がなくなれば、『角を矯めて牛を殺す』ことになりかねない」と警鐘を鳴らす。太田は「定期的に動植物をモニタリングしているが、山頂にテラスが完成してから、世界農業遺産の認定要件の大きな1つであった地域固有種の『カケガワフキバッタ』を見つけられなくなった」と指摘した。そして、山頂テラスが長く愛されるには、テラスの運営に自然環境保全分野の専門家の意見も聞くことが可能な仕組みを設け、観光客に現地の自然をガイドできるようにすれば、茶草場農法の価値を高められるのではないか、と提案する。

生産者の危機感も強い。田中農園の経営者・田中克典（1977年生まれ）は、父（田中鉄男）が農協組合長に専従する際、農園経営を引き継いだ。米国オレゴン州の農家で研修したり、オレゴン大学に留学したりした。米国農業は機械で大規模生産して低価格で販売するイメージを抱いていたのに、有機栽培の現地農家にホームステイしたとき、「出荷量は少ないが、量販店より1.3倍程度の価格なのに完売する」現実を知った。

田中農園では茶畑で収穫した茶葉を加工する茶工場の作業から販売まで一貫して行う。4年前からは毎月第2と第3土曜に東京・横浜のマルシェに出向いて直接販売を続けている。克典は「茶草場農法のことを知らない消費者が圧倒的。マルシェの場合、1人に説明できる時間は1人に3－5分で、掛川産の深蒸し茶を説明するのに精一杯。茶草場農法にまで話が及ばない」と悩みを打ち明けた。それだけに茶草場テラスの新設は「追い風」だ。「多くの方が茶畑を訪れ、現地で東山茶のサービスを受ければ、きっとファンになっていただける」と期待した。

同農法を実践する農家の負担は予想以上に重い。克典によると、急な斜面で草を刈り取り、畝に敷き込む同農法の作業は通常の2倍の労力が必要という。対して茶価は通常より1.5倍程度。「割に合わないかもしれない。しかし伝統の付加価値があるのだから、これを活かして生き残っていきたい」と述べた。

市お茶振興課の資料によると、国民のお茶離れを受けて静岡県の茶業はピンチを迎えている。2018年度の同県内茶産出額は308億円で、府県別で全国1位だったが、2000年の735億円に比べると41.9%に落ち込んだ。県内一番茶の荒葉価格（1kg）は1999年の3781円から2019年の1864円に下がった。同県内の茶農家数も、2000年の2万4256戸から2015年は9617戸に、2020年は5827戸に減った。幸いにして掛川の一番茶は県内平均より1.5倍の高値で取引されている。東山地区の茶農家数に限れば、2000年から2015年までの5年ごとの平均減少率は92.1%にとどまり、市内では減り方が最小である。

いずれにしろ生産茶のブランド化を図り、都市部への普及が急がれる。こうした今日的課題から、世界農業遺産の茶草場農法を活用した観光振興策が各方面から熱い視線を集めているわけなのだ。

※本稿の事例部分は、松本茂章「世界農業遺産の『茶草場農法』と観光振興」時事通信社『地方行政』2020年12月7日号の原稿をもとに、大幅に加筆修正したものである。

注

1）農林水産省のHP。https://www.maff.go.jp/j/nousin/kantai/giahs_1_1.html（2021年8月28日閲覧）

第8章 海外の取組みから学ぶ

8-1 アメリカ人を一つに結びつける国立公園システム ―ヨセミテ国立公園

西村仁志

本稿ではアメリカの国立公園を取り上げる。なかでもヨセミテ国立公園に注目し、成立過程、特徴などに言及することで、自然遺産の保存・継承・活用がアメリカの国民統合や帰属意識の再構築につながっている様子を紹介する。アメリカの文化遺産経営には数多くの示唆が含まれている。

1 ヨセミテ国立公園の概要

ヨセミテ国立公園は、アメリカ・カリフォルニア州シェラネバダ山脈にあり、サンフランシスコから自動車で約4時間という比較的足の便の良いところに位置している。3029km^2（東京都の約1.5倍）もの広大な面積のなかに世界最大の花崗岩の一枚岩エルキャピタン、ハーフドームなどの壮大な風景のヨセミテ渓谷、世界一の大きさと寿命をもつジャイアントセコイアの森、そして高原地帯、山岳地帯など多様な環境が存在する。

ヨセミテの歴史は、数億年前にさかのぼる。海底にあった厚い層が造山運動により隆起し、また地中のマグマが深部から上昇し、冷えて固まって花崗岩の層を形成、隆起とともに氷河、雨水による浸食が続き、現在の海抜4000mもの山々と標高差1000mもの渓谷が誕生した（写真1）。そして19世紀にここに白人が到達する前には、先住民アワニチ族の自然と共生する暮らしの営みがあった。

またヨセミテにはマウンテンライオンやブラックベアを頂点とする77種類もの哺乳類、両生類と爬虫類40種、鳥類242種、開花植物1400種、樹木37種が記録されている。自動車道路は576km、ハイキング道の総延

写真１　ヨセミテ渓谷

長は1280kmにもなり、広大なウィルダネス（原生地域）に足を踏み入れることもできる。

ヨセミテ国立公園にはアメリカ国内だけではなく世界中から年間400万人もの来訪者が訪れている。バックパックを担いで何日もかけて大自然のトレイルを歩く。キャンプ場で家族や友人たちとゆったりと過ごす。フリークライミングで断崖絶壁にチャレンジする。由緒あるホテルで優雅に過ごすなど、興味や体力や予算に応じて多様な楽しみ方ができるのもヨセミテの魅力だ。

2 アメリカの国立公園システムの成立とその特徴

国立公園制度の成立はアメリカの建国史と大きく関係する。17世紀の東部の植民地建設以後、広大かつ未知の北米大陸を西へ西へと領土を拡大し、入植者は次々と原野を農地に変え、街を建設していった。こうしたフロンティアが終焉に近づく19世紀後半にはウィルダネス（原生自然）の保護という議論が出てくるのである。

ヨセミテは、1864年、当時のリンカーン大統領はその目をみはる渓谷景観とジャイアントセコイア巨木群を後世にまで遺し、公共の利用、リゾートとレクリエーションに資するためにカリフォルニア州の管理下に置くという大統領令「Yosemite Grant Act」に署名している。後の1872年にはイエローストーンが世界初の国立公園として指定され、またヨセミテもそれに遅れて1891年に国立公園に指定されたが、実質的にはこの大統領令が世界初の国立公園制度を生み出す原点とも言えるだろう。

在任中（1901～1909年）に積極的な自然保護政策を進めたセオドア・ルーズベルト大統領は「国立公園は人々の利益と楽しみのためにつくられ、管理されている。その保存の枠組みは、本質的な民主主義に基づいている点で特筆すべき」と述べている。ヨーロッパでは公園に指定されるような風光明媚な土地の多くはかつて、王侯貴族や富裕層のものであったわけであるが、アメリカでは国立公園が議会での議決という民主的な手続きをもって指定され、国民全体が分け隔てなくその素晴らしさを享受できる点で「アメリカが生み出した最上のアイデア」であるとも言われている。

アメリカの国立公園は「営造物公園」すなわち土地所有を含め合衆国政府の直轄地であり、州政府の統治が及ばない。その管理は内務省国立公園局が担当し、自然、動植物、文化財等の保護と利用のほか、警察・消防などの公共サービス、道路管理や施設の経営管理まで様々な責任を担っている。一方、日本の国立公園は「地域制公園」であり、土地所有が民有地や公有地、国有林などが混在するなか、土地利用や開発に関する規制をかける制度となっているため、日米の国立公園管理システムはずいぶん異なるものとなっている。

現在、国立公園局は63の国立公園を含む423のサイト、ユニットを管理しており（2021年10月）、国立公園、国立海浜公園などの自然資源だけでなく、歴史公園、古戦場などの史跡、すなわち文化施設も含んでいる。ニューヨークの自由の女神、ワシントンDCのリンカーン記念堂も国立公園局の管理だ。こうしたサイトを管理する連邦職員は「パークレンジャー」と呼ばれ、約2万人が各サイトに配置されている。また各サイトではボランティアによる活動も盛んに行われており、全米で34万人が参加している。日本の国立公園レンジャー（自然保護官）は約300名であるというから、制度もさることながら、その規模の違いには目をみはる。

3 ヨセミテ国立公園における教育・解説の活動

アメリカの国立公園の草創期にはナチュラリストのジョン・ミューア（1838～1914年）の活動が大きな影響力をもっている。彼は19世紀から20世紀初頭にかけ、ヨセミテをはじめシエラネバダの山々を歩き、その詳細なレポートを新聞や雑誌に寄稿するなどし、各方面に保護の重要性を訴えたのである。彼が創立した世界最初の民間自然保護団体「シエラクラブ」では活動の基本的姿勢として、「自然の美しさ、すばらしさを多くの人々に知ってもらうこと」を旨としていた。知らない人に自然保護を訴えてもわかってもらえないと言うことだ。当時、アメリカにはすでに思想家H・D・ソローやR・W・エマソンのすぐれた自然保護思想があったものの、一般庶民の生活はこうした思想とはかけ離れており、狩猟、森林の伐採、家畜の放牧が規制なく行われていたのである。ミューアはこのような危機的状況を世に訴えるとともに、また多くの人たちをヨセミテに誘い、自らがインタープリター（自然解説者）となって自然の大切さについて体験を通じて知らしめたのである。アメリカの国立公園の教育、普及、啓発の姿勢の原点はここにある。「立ち入り禁止」として遠ざけるのではなく、むしろ積極的にふれあって実体験してもらい、その大切さを実感し、自然保護と国立公園局の良き理解者を育てることが国立公園における自然解説活動の役割である。つまり利用者の「自然とのふれあい」に政府として積極的に関与していく方針がみられるのである。

ヨセミテ国立公園のインタープリテーション（自然解説）部門にはフルタイムで22名の職員がおり、プログラムが最大規模になる夏期にはシーズナルレンジャー（季節契約レンジャー）も含め100名規模にもなる。ここに後述する民間団体のインストラクター、ガイド等もいるため、日本の国立公園に比べ、人的体制はかなり充実しているといえよう。

パークレンジャーによるインタープリテーションプログラム（写真２）は１～２時間程度のガイドウォーク、日帰りハイキング、スライド＆トーク、キャンプファイヤー＆トーク、歌など形態もさまざま。またテーマも、動物、植物、地学、天体、歴史、先住民の文化、詩や音楽などさまざまである。これらに参加するには申し込みも、予備知識もなにも必要なく、公園ゲート等で配布される情報紙“Yosemite Guide”に掲載されているスケジュール通りに集合場所にいくだけでよい。この情報紙にはショップやミュージアムなどの開館時間、野生動物に対する注意やキャンプやハイキングへの諸注意などビジターがおよそ知りたい情報が網羅されている。このような大自然を保護し、適切な利用を促進するために国立公園局はビジターセンターでの展示・掲示や、WEBサイト、印刷物、サイン、レンジャープログラムなどを通じ、さまざまな情報提供を行っている（写真3）。

国立公園内における教育・普及活動は本来、国立公園局が担う業務であるが、ヨセミテでは非営利法人であるYosemite Conservancyなど民間団体と連携して役割分担を行っており、それによって幅広く、より深いアプローチをすることが可能になっている。対象、実施時間、有料無料などを比較してみると、その役割の違いをみることができる。国立公園局だけで

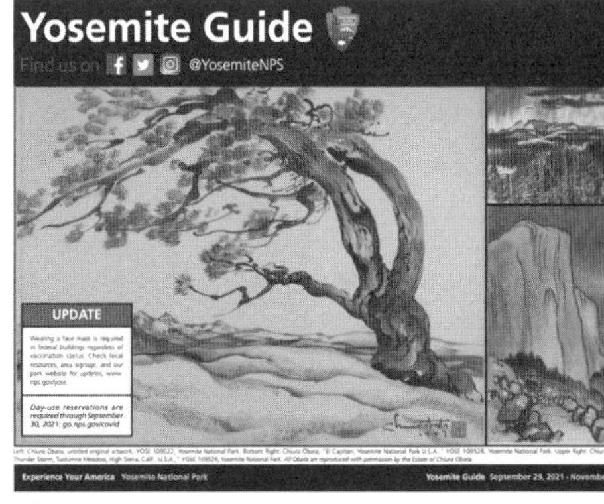

写真２（左） パークレンジャーによるインタープリテーション
写真３（右） 情報誌Yosemite Guide（Sep.29-Nov.30, 2021）の表紙。小圃千浦の作品が使われている。

は人的、資金的、内容的にカバーしきれない部分を、こうしたサポート団体が補っているのである。Yosemite Conservancy は常に広く寄付を募るなどファンドレイジングを行っており、園内の施設整備、自然復元事業、レンジャートレーニングや、夏期のインターンシッププログラム等人材育成への資金援助も行い、またヨセミテの自然や歴史についての多くの書籍等を出版している。

4 アートが生み出した自然保護への活力

ヨセミテには数多くの画家、写真家など多くのアーティストが訪れ、多くの作品が生み出されている。先述したリンカーン大統領が南北戦争の只中にあって、訪れたことのないヨセミテを保護すべき場所であることを認識できたのは、白人社会がヨセミテに到達して間もないころから描かれ始めた絵画や写真などの作品、すなわちアートの力であった。

アンセル・アダムス（1902 ～ 1984 年）は、ヨセミテをはじめ全米各地の国立公園を巡り、自然の雄大さや尊厳をモノクロームの深い味わいのある作品によって表現した写真家だ。半世紀以上にわたってシエラクラブの主力メンバーとして活動し、ときの大統領をはじめ、政府関係者、国立公園関係者に数多くの手紙を送って、自然保護政策に影響力をもちつづけた。1938 年、シエラクラブがキングスキャニオン国立公園の指定を求めるキャンペーンのためにアダムスが制作した写真集『Sierra Nevada』はその活動に重要な役割を果たし、合衆国議会は 1940 年にキングスキャニオンを国立公園に指定している。現在もヨセミテにある“Ansel Adams Gallery”は、彼が長年に渡って使用したスタジオである。また彼の功績をたたえて、ヨセミテ国立公園の東端にある 1 万 1760 ft のピークは Mt. Ansel Adams、そこに隣接した国有林エリアは“Ansel Adams Wilderness”（アンセル・アダムス野生保護区）と名付けられている。

日本出身者も重要な役割を果たした。小圃千浦（おばたちうら）（1885 ～ 1975 年、カリフォルニア大学バークレー校名誉教授）は戦前からヨセミテをはじめとす

写真４　ヨセミテ渓谷ビジターセンターでの小圃千浦の展示と筆者（右）

るカリフォルニアの風景を日本画で描きつづけた画家である（写真 4）。

千浦は仙台の出身。14 歳で家出し東京で邨田丹陵の弟子となり、若干 17 歳で日本美術院正会員になるが、1903 年、18 歳で単身渡米する。サンフランシスコで舞台美術や日系新聞のイラストなどで生計を立て、1927 年ヨセミテへのスケッチ旅行で描いた作品展をきっかけにカリフォルニア大学バークレー校に美術学部教授として迎えられる。

1941 年日米は開戦。西海岸では日系人 11 万人が敵性外国人と見なされ強制収容所へ送られた。千浦も家族とともに日系人収容所に送られるが、「いかなる状況下にあっても、教育は食糧同様に重要だ。なかでも芸術はもっとも建設的な教育だと信じる」との信念のもとに美術学校を収容所内に創立する。ここではのべ 600 人もの人々が学び、多くの日系人アーティストを輩出したのである。戦後、千浦は大学に復職し、その後の人生は日本の自然と文化をアメリカに紹介することに捧げ、また毎年ヨセミテでのキャンプとスケッチを欠かさなかった。カリフォルニアの大いなる自然は千浦のアーティストとしての感性をさらに磨き、また生きる希望を与えたのである。

5 国立公園はアメリカ人を一つに結びつける

インタープリテーションは「自然地域や歴史地域、社会教育施設等における教育的なコミュニケーション」である。取り扱うテーマが自然であれ、歴史であれ、そうした具体的資源を素材として取り扱い、それらを媒介として自分以外の人間とコミュニケーションを行うという「社会的な活動」である。またジャーナリストのフリーマン・チルデンは自著 *“Interpreting Our Heritage”* のなかで「単に事実や情報を伝えるというよりは、直接体験や教材を活用して、事物や事象の背後にある意味や相互の関係性を解き明かすことを目的とする、科学・歴史・デザイン・建築などの学問を媒介とした複合芸術である」と述べている。[注1)]

国立公園局を創設し初代の長官となったスティーブン・マザー（在任期間 1916 ～ 1929 年）は国立公園への道路網や滞在施設の整備を行って、国立公園の大衆化を促した。彼は世界各地から「移民」として新大陸にやってきた多様な民族・言語の背景をもつ人々が、「この大陸が自分たちの土地であること」そして「アメリカ人」であることを共通して自覚することが重要であると認識していた。さらにマザーはパークレンジャーの配置と解説活動を導入しており、これは国立公園システムを体現するともいえるものだ。パークレンジャーが、インタープリテーションの機会やビジターセンター等でビジターと直接対面し、プログラムをリードする機会はアメリカ国民を一つのコミュニティとして結びつけるものとして機能したのである。

ヨセミテのアフリカ系アメリカ人のパークレンジャー、シェルトン・ジョンソン氏は自身の役割を「すべての有色人種コミュニティと国立公園との間の永続的なつながり」を築き、深めることだと述べ、そのため帰属意識を再構築することが重要だと指摘している。「国立公園が自分たちのためにあるとは必ずしも思っていない人々に、所有とスチュワードシップの意識を持たせること。国立公園はこの国の国民としてだけでなく、人間と

して生まれてきた権利の一部である」と述べている。[注2)]

F.D. ルーズベルト大統領による1935年の大統領会以降、国立公園局は、原生自然サイトだけにとどまらず、アメリカ合衆国の歴史、すなわち初期の永続的植民地となったバージニア州のジェームズタウンや、独立戦争・南北戦争の戦跡、アメリカ先住民やマイノリティの苦難（第二次大戦中の日系人強制収容所も含まれる）に関わるサイトなどを管理するようになる。つまり「優れた業績から内輪の恥まで、国家としての成長のあらゆる側面を浮き彫りにする地域や場所」[注3)] を管理運営してきている。つまりアメリカの国立公園で行われてきたインタープリテーションは自然や歴史についての理解を助けるだけではなく、まさにアメリカ人を一つのものに結びつけるソーシャル・インクルージョン（社会的包摂）の役割を果たしてきたといえる。

注

1) Tilden,Freeman "*Interpreting Our Heritage*" The University of North Carolina Press,1977

2) “Neighborhood Heroes: Shelton Johnson, Yosemite’s Storyteller”（Men’s Journal, https://www. mensjournal. com/adventure/yosemite-ranger-tells-untold-story-of-african-americans-in-national-parks/）

3) ボーマー「公園はすべての米国人を結ぶ特別な場所」（Ejournal USA, 第13巻第7号「「国家遺産としての国立公園 ＝ National parks, national legacy」）米国大使館レファレンス資料室、2009

8-2　ギリシア・クレタ島のアグリツーリズム

石本東生

1 日本国内における「農家民泊」

日本国内においては、1994年に「農山漁村滞在型余暇活動のための基盤整備の促進に関する法律」(略称「農山漁村余暇法」)」が制定された(2005年に一部改正、従来の規制が緩和)。本法成立の背景には、農山漁村において人々が、新築や増改築を行わずに自宅の空き部屋を利用して開業し、社会経済活動の活性化および都市部の市民との交流推進を図る狙いがある。これによって、いわゆる「農家民泊（農泊)」事業者が各地で増加し、近年、修学旅行の中高生などを中心にその利用も拡大傾向にある。

しかしながら、事業者参入を容易にするため、本来は宿泊施設に適用される旅館業法をはじめ、関連法の規定などが次々に緩和され、そして今や、農山漁村の住民であれば、農林水産業従事者でなくとも農泊事業が可能となっているのが現状である。

2 欧州そしてギリシャにおけるルーラルツーリズムの発生と展開

さて、欧州におけるルーラルツーリズム（以後、RTと略称）は、ドイツやイタリア北部において1960年代には既にその初期段階のものが発生していたと考えられている。ただ、その当時のものはドイツにしてもイタリアにしても、あくまで農家の副業や空き部屋を利用した簡素な農家民宿に過ぎなかった。しかし、農村部から都市部への人口流失が激化し、加えて農業生産の大規模化が能わなかった条件不利地域の苦悩が増す中、1970年代以降、RTの発展と高品質化は広く注目されるようになった。

例えば、菊地・山本（2011年）は、ドイツのバイエルン州においては、1990年代初頭は700万泊であった農家民宿における延べ宿泊数が、2000

年には1000万泊を越えるほどになり、RTの発展は、既に確かなものとなっていることを述べている。[注1] また、筆者が長年研究フィールドとしているギリシャにおいては“Hellenic Agrotourism Federation”と“Guest Inn”という2つのRT団体が国内の代表的組織であるが、2010～2018年ギリシャ経済危機の間も、両組織の加盟事業者はどちらもほぼ3倍に増加し、この形態のツーリズム産業は近年著しい成長を遂げている。

このように、欧州においてはこの半世紀の間、RTは着実な発展を遂げており、各国で観光行政がバックアップし、事業者もその高品質化を図っている。筆者は近年、ギリシャ・エーゲ海地域におけるRTの進展について注目してきた。ギリシャにおいては、ドイツやイタリアに遅れること十数年、すなわち1980年代前半からRTはエーゲ海の南端に浮かぶ地中海で5番目に大きな島クレタを中心に、その黎明を迎えることとなる。そしてその施設づくりの特徴の一つが、中山間および山間地域における「ヘリテージ」、すなわち各地の伝統的建築意匠の石造建築物あるいは小集落を、魅力的に再生してRTに利活用する手法である。

またこの概念は、2018年7月末に発出された観光大臣の決定（政府官報FEK 3089/B/30-7-2018, Decision 4、いわゆる「アグリツーリズム法」）にも明確に示されている。すなわち、アグリツーリズム施設はレセプションおよびベッド総数が40床までの客室を擁し、建物としては、（地域の）伝統的な、あるいは保存文化財的な、あるいはモニュメント的な性質のものでなければならない（Article 1:3）、と明記されている。

本稿は、ギリシャ・エーゲ海地域でも最も多くのRT施設が集積するクレタ島において、この種のツーリズムの「パイオニア」とも称される施設「ミリア・マウンテン・リトリート」（以下、ミリア）についての調査報告をベースとしている。[注2] ミリアは、クレタ島西部ハニア県の山懐において30年以上も廃墟となっていた集落を、あるクレタ人男性が手ずから修復・再生して創設した「奇跡の結晶」とも言えるものである。そして、その設立者がサスティナブルツーリズムにかける情熱、哲学とその具現化には目を見張るものがあり、今回ご紹介するに至った。

3 ミリアの歴史と再生そしてRT拠点化

(1) ミリアに関する調査報告

ミリアは2008年に『ナショナル・ジオグラフィック』誌の公式ウェブサイトにて、「世界の"エコロッジ（Eco-Lodge）"ベスト50」にランキングされたのを契機に、ギリシャの国内外において、にわかにその知名度が上昇した。事実、国内においてもRTのパイオニアと評される施設であり、季節を問わず常に予約が困難な、欧州でも知る人ぞ知るRTの拠点である。

2014年9月、筆者は3日間滞在して設立者兼オーナーのイオルゴス・マクラキス氏に聞き取り調査の機会を得、ミリア集落の歴史とRT拠点としての再生に至る経緯、およびミリアの経営哲学について聞き取りを行った。また、2019年9月には5年ぶりにミリアを再訪し、周辺地域への経済的・社会的波及効果について調査した。[注3] 本稿においては、前者の聞き取り調査の内容を中心にご紹介する。

(2) ミリアの歴史と設立者マクラキス

現存する史料によると、17世紀前期には、ミリアに集落が存在したことは確認されている。その後、第2次世界大戦前まで集落は存続し17家族ほどが生活していたが、戦中戦後は同集落を離れて麓の村に居を移す家族が多くなり、1947年に最後に残っていた一家が離村した。以来、集落のほぼすべての家屋が倒壊しているような、言わば「廃墟」であった。

マクラキスは1965年、ミリアの下方にある麓の村「ヴラトス」に生まれたが、彼の祖先は長きにわたってミリア集落に居住していた。また、代々彼の家族はこの地域にオリーブ畑、栗畑、また様々な種類の果樹園など、かなりの規模で土地や畑を保有していた。果樹園では特に洋ナシを多く栽培していたという。一方、彼が幼少の頃は、ミリアに車でアクセスする道路などは皆無であった（写真1)。

当時のミリア周辺は、それらの収穫物以外には収入源が望めないような、

写真１　ミリア・マウンテン・リトリートのコテッジ群

まさに生産性の低い「条件不利地域」であり、さらに、周囲の山々も山火事や野生動物による乱食が原因となって、ハーブや野草も育たない、ほとんど禿山状態であった。

(3) ミリア・マウンテン・リトリートの創設

さて、マクラキスの父親の世代で、ミリア集落の地主の一人にヤコボス・ツルナキスという男性がいた。彼はドイツに留学し、ドイツ語やドイツ文学を修め、豊かな教養を身に付けていた。そして留学後、クレタ島西部の中心都市ハニアに戻ってきたツルナキスは、教師となりドイツ語を教えていたのである。その一方で、彼はドイツでは既に産声をあげていたルーラルツーリズム、エコツーリズムに注目し、それらの知識を吸収した上で、彼のルーツであるミリアの地で、同様なことができないかと模索していたという。

その後、同郷のツルナキスとマクラキスは、ミリアの地にアグリ・ルーラルツーリズム拠点創設を実現しようと意気投合し、1982年よりこの地で壮大な事業を開始した。しかし、残念ながらツルナキスはハニアにて教員として働いていたため、実際のところ当時まだ17歳になったばかりのマクラキスが、困難極まるプロジェクト工事をほぼ一人で担うこととなった。一方、ツルナキスは資金面から本事業をサポートする役割に尽力した。

さて、第一にマクラキスは、ミリア周辺山中の野草やハーブを食い荒らす野生動物をミリア一帯から遠ざけるために、山の尾根伝いに一連の有刺鉄線柵を張り巡らした。そして第二に、従来この地にあった植生を取り戻すため、播種や植樹を行い続けた。山に植生が増えることは、この地域の生態系にも良好な働きをもたらし、降雨の際も地中に水分を留める保水効果にも繋がるのである。

さらに、第三に手掛けたのが、朽ち果てた「古民家の修復・再生」であった。これはミリアのプロジェクトにおいては、最も重要な作業であった。本工事でマクラキスが使用した石材は、当時各家屋の周囲に散乱していた元の石材そのものであった。それらの石はミリアの周辺地域から切り出されたものであったが、鉄分を多く含むために「鉄石」とも呼ばれ、重くてとても固い石であった。よって、建材としてはこの上ないものであった。

またクレタ島内でも地域によって家屋の建築形態は異なるが、マクラキスは「ミリア特有の建築形態」を学ぶために、残っていた家屋の壁に強いて穴をこじ開け、どのような石組みかを詳細に調べることも怠らなかった。その結果、「必ず大きな石と小さな石が上下左右、さらには壁の内側と外側で交互に組み合わされている」という規則性も確認できた。その後、工事上ある区切りがついたのが1991年であったが、既に本事業に取り掛かって丸9年が経過していた（写真2）。

(4) EUによる「農村地域における経済振興プログラム」

ちょうどその年、幸運なことにEUの農村地域における経済振興プログラム（LEADER Program）への申請が採択され、1991～1994年の3年間は同プログラムの資金助成（返済無用）でミリアのプロジェクトを進めることができた。ロッジも1991年までは現在のような良好な状態ではなかったが、1991年以降EUの助成があったからこそ、今日の施設の充実がある。すなわち、16軒のロッジを再生、レストラン棟を新設、先述の野生動物除け有刺鉄線柵に代えて、より頑丈な防御柵を周囲に設置した。加

写真２　マクラキス氏（右）と村の友人

写真３　ミリアのコテッジのひとつ

えて、麓の村から自動車でアクセスできるように車道（未だ舗装道路ではない）も整備した。この資金援助は建設費用全体のほぼ半額までに至ったという。

この助成金申請においては、現地の詳細な自然環境調査および具体的な事業目的、完成図、さらには収益を上げるビジネスモデル作成も必要条件であった。以上のような経緯を経て、ミリアの施設は 1994 年に完成し、同年晴れて営業を開始する運びとなった（写真 3)。

4 ミリア・マウンテン・リトリートの「哲学」

そして以下に述べる項目は、設立者兼オーナーのマクラキス自身が「ミリア・マウンテン・リトリートの哲学」と語る心得、ビジョンそして実行されている施策である。

①「食材」にも「周囲の畑」にも化学薬品、化学肥料などを一切使用しない。畑の雑草除去にも化学薬品などは一切使用しない。

②集落内および周囲の整備には、決してブルドーザーを用いない。トラクターなど必要最小限の小規模機械のみで作業を行う。

③ロッジおよびレストラン、厨房などすべての建物の石材はミリア現地のもの。また使用木材も現地のもので、製材作業さえも麓の製材所へ依頼

するわけではなく、ミリアで手ずからノコギリを使い製材した。そしてその木材の腐食防止剤としては石油も使用するものの、他の化学塗料および照りを出すニスなどは使用しない。また、上塗り剤としてはクレタ産のオリーブオイルを塗りこんでいる。

④水道、電気のいわゆる「ライフライン」も麓からは一切引かない。電気はミリア保有の太陽光発電システムを使用するのみ。水は周辺山中の沢からパイプを引き、使用している。

⑤ゲストの食事への食材も、極力ミリア敷地内の畑で収穫された有機農産物を利用。2010年頃までは、すべて自前の食材のみで賄っていたが、近年はゲストが大幅に増加したため、水不足の問題が顕著になってきた。そのため、敷地内の畑に送る灌漑水を少なくしたことから、食材の供給量が減少し、結果、現在は麓のヴラトス村周辺の有機農法生産者から調達している。ヴラトスの方には、十分な水があり、広い畑も確保可能である。マクラキスの兄弟らが生産者として働き、国が定める「有機基準」を遵守しながら、食材を生産、提供している。

⑥現在、水については、ゲスト用の水、そして厨房用の水、鶏や牛、馬など家畜用の水などを優先している。近年は、気象の変化からか、降水量は年々減少してきており、それが山中の泉の湧水量減少に影響しているとも考えられる。

⑦ゲストによる「食べ残し」の生ゴミなどは、敷地内で飼育している鶏、牛、馬など家畜の餌としており、無駄のないエコサイクルを保っている。

⑧現在のロッジは15軒。しかし、ミリアは将来的にも、ロッジの規模をこれ以上拡大することは、現時点では考えていない。規模的な拡大を求めれば、周辺の自然環境に影響は避けられず、さらにゲストへのサービスも劣化しかねない。「環境を尊重し、かつゲストへのサービスレベルを決して落とさない」そのバランスが最も重要である。

⑨しかし、残念ながらどの国も同様だが、大規模観光事業に対しては、国も後押しを拒まない。他方、環境への多大な負荷を考えると、必ずやど

こかで「制限」を要し、然るべき規制が求められる。

⑩ミリアは「規模の拡大」以上に「質の向上」を考えている。例えば、現在、中世からこの地域で使われている「石の器具」のオープンミュージアムを整備している途中である。そういった学びの場や、さらには近くに小さな石造りの野外音楽堂などを充実させたいとも考えている。

⑪同様なアグリツーリズム拠点を他地域に展開したいとの希望から、ミリアへ視察に訪れる人々も多い。ミリアはそれらに対しても積極的に公開し、協力している。ただ、その時に強調するのは「利益を追求してはいけない」、「その地の環境への配慮は最優先である」という2点である。

⑫一方で、「環境への配慮」ばかりを強調すると、アグリツーリズム施設の営業さえ控えた方が良い、とも言われる。そのようなロジックではなく、地域住民が生活していくための一定の収入・利益を確保しながら、しかし環境への配慮を怠らない。そのバランスを考慮し、突き詰めた結果が持続可能な発展に他ならない。加えて、そのような中で地域住民が育っていけば、必ずや彼ら自身も将来地域の為に働く人材となってくれるはずである。このような文化、思想、哲学が次の世代の子供たち、若者たちにも教育されるべきである。今後、気高い志を抱く若きパイオニアが、次々に現れてくることが切に期待される。

以上、マクラキスは、その熱い胸の内を語ってくれた。

5 ミリアの現在と将来、日本のRTへの示唆

このような哲学の基、年々国内外よりミリアの支持は拡大している。筆者は2019年9月にも再訪したが、2014年に初めて訪れた時よりも、はるかにビジターは増加していた。宿泊客はもとより、レストランのみの利用客も俄然増えており、現在、野菜・果物等の食材は麓のヴラトス村の有機農業生産者から調達している。実は、マクラキスが希望する食材の品質は相当に高いレベルとのこと。ヴラトス村の生産者たちは、以前より小規模有機農法を営み、ミリアにのみ農産品を提供していたが、その品質が徐々

に多方面から認められ、今や島内各地やギリシャ本土にまで出荷を拡大。耕作規模も拡張し、地域住民をも雇用して事業を成長させている。

他方、長年ミリアと取引を行う地域の畜産農家、精肉店、有機養蜂農家、チーズ、ヨーグルト、オリーブオイル、手作りジャムなどの事業者も同様の成長を遂げている。つまり、ミリアが求める「天然性」と「高品質性」に沿った生産を行った結果、広く域外にも認知され事業の拡大へと繋がったのである。過疎地であった周辺地域の経済活性化にも貢献している。

このように、今やミリアの発展は、周辺地域の持続的な社会・経済発展にも波及し、地域を潤している。ギリシャ・クレタ島における伝統的な有形無形双方のヘリテージを、静かにしかし力強く次の世代へと継承しているのである。

そして最後に付言したいのが、冒頭でも取りあげた日本国内の農泊事業への示唆である。日本の場合、各地における農山漁村の住民が設備の新設や改修を行うべき要件はなく、まさに最小限の初期投資で事業が開始できる仕組みとなっている。その利点は確かに大きいが、同時に地域における有形無形のヘリテージに「手間暇をかけて」保全、継承していくフィロソフィーが希薄なようにも感じられる。この種の再検討が必要ではないだろうか。

注

1) 菊地俊夫・山本充「ドイツ・バイエルン州におけるルーラルツーリズムの発展と農村空間の商品化」『観光科学研究』第4号、首都大学東京大学院都市環境科学研究科観光科学域、2011年、15～27頁。
2) 石本東生「ギリシャ・クレタ島に息づくサスティナブルツーリズムの精神－エコ＆アグリツーリズム施設『ミリア・マウンテン・リトリート』を事例として－」『奈良県立大学研究季報』第26巻第4号、奈良県立大学、2016年、29～39頁。
3) 石本東生「ギリシャ・クレタ島におけるアグリツーリズム振興と地域再生 －ミリア・マウンテン・リトリートの設立とサスティナブルツーリズムの展開－」『日本国際観光学会論文集』第27号、日本国際観光学会、2020年、143～150頁。

8-3　英国のヘリテージマネジメント

高島知佐子

1 ヘリテージマネジメントのはじまり

ヘリテージマネジメント（Cultural Heritage Management）は米国で始まり、英国で広がったと言われている。本書第8章1節で西村仁志が詳述しているように、米国の国定公園の保存においてヘリテージマネジメントという考え方が登場し、英国で自然環境保護にとどまらない歴史的建造物・景観保護等を含む包括的な概念に解釈されていった。

英国のヘリテージマネジメントは官民双方からの関心で始まった。民間の事例として最も有名なのは、ナショナルトラストの活動だろう。19世紀の産業革命による急速な都市化で、自然環境や歴史的建造物等が失われることへの危機感から、1895年に社会活動家のオクタヴィア・ヒル氏、弁護士のロバート・ハンター氏、聖職者のキャノン・ハードウィック・ローンズリー氏によってナショナルトラストが設立された[注1)]。活動理念は、①国民の利益のために、美しくまたは歴史的に意味のある土地や資産を永久に保存するよう促すこと、②土地は可能な限り、土地本来の要素や特徴、動植物の生態を保存すること、③これらの目的のために、所有者から歴史的建造物や景勝地の寄贈を受けた土地や建物などの資産を国民のために信託財産[注2)]として保持することである。創設時はナショナリズム思想の強い時代であり、自然と文化を通して英国への愛着、誇りを形成することにも寄与したと言われている。設立時からボランティアや寄付の申し出が多く、2020年時点で約450万人の会員と約7万人のボランティアを有する英国最大の自然・文化保護団体である。ナショナルトラストが環境整備、保護する有名な場所にピーター--ラビットで知られる湖水地方がある。

ナショナルトラストは、民間非営利組織であるが、1907年のナショナルトラスト法に見られるように、政治的働きかけを積極的に行い、自然・

文化保護のための制度づくりを進めた。同法で、ナショナルトラストの財産は売買、譲渡、抵当権の設定ができず、国会での議決がない限り公共事業用途での強制徴収もできない特権が与えられた。ナショナルトラストは、財産を信託財産として運用し、運用益を新たな自然保護等に生かし活動を維持している。信託財産は財産の所有者や運用会社の破産や倒産の影響を受けず、財産を安全に受益者のために管理・運用し続けることができる利点がある。英国では信託による資産管理は一般的で、子供の教育資金を信託財産にする人もいる。ナショナルトラスト法と信託財産化により、寄贈された土地等は目的外に使用される心配なく、永久に守られる。

ナショナルトラストは、寄付税制に対しても働きかけを行ってきた。1900 年代初め、多くの貴族が相続税に苦しみ、広大な土地とマナーハウス（貴族の屋敷）が切り売りされた。ナショナルトラストは貴族によって整備されてきた地域の景観、建造物を守るために「領主館保存計画」を策定し、政府へ働きかけ、1931 年からナショナルトラストへの寄付は非課税扱いになった。貴族がマナーハウスと土地を寄付する場合には、相続税も非課税になり、加えて寄付を行った所有者（貴族）は当該建造物を公開することを条件に、引き続き居住することができる制度を作った。所有者が莫大な相続税の負担なく住み続けることで土地や建造物が管理され、景観が損われないようにした。

制度づくり以外にも、ナショナルトラストの活動には特徴的な点がある。保存対象となる自然環境や建造物、景観がある地域の土地を全て買い取り、街ごと保護する。現在、英国内でナショナルトラストが保有する財産は 780 マイルの海岸線、25 万 ha の土地、500 以上の歴史的建造物、公園、庭園、100 万点の美術品と言われている。ナショナルトラストの活動は世界中に広がり、日本においても 1968 年に財団法人観光資源保護財団（現・公益財団法人日本ナショナルトラスト）が設立され、民間の力で各地の自然環境、歴史的建造物や街並みの保存に取り組んでいる。英国にはナショナルトラスト以降、文化遺産の保護に取り組む多くの民間非営利組織が生まれている。この中には、財政面で文化遺産の保護や活用を支援するファンドやトラストの団体もある。

2 ヘリテージマネジメントを支える制度

(1) イングリッシュヘリテージ（English Heritage）と ヘリテージファンド（Heritage Fund）

英国には政府が設立した文化遺産保護のための機関がいくつかある。イングリッシュヘリテージは英国政府が設立した文化遺産の保護に取り組む職員数約2000人の団体である。[注3] その起源は1882年から整備され、1913年に制定された古代遺跡法（The Ancient Monuments Act）で、同法が施行されてから公権力を持って文化遺産保護に取り組むようになった。文化・スポーツ・メディア省の管轄にあり、日本で言えば文化庁の外郭団体という位置付けである。同団体は、約400の文化遺産を直接管理し、博物館等を運営している。文化遺産の公開、教育活動に加え、文化遺産の認証を行うほか、国や自治体に対するアドバイザーという性格も持つ。自然環境保護を目的とする、同じく政府系団体であるイングリッシュネイチャー、民間非営利組織のナショナルトラストとも協力関係にある。

市民による文化遺産保護や活用の取り組みを助成する団体にヘリテージファンドがある。[注4] この団体は、宝くじの利益の一部や政府による支援を文化遺産の保護活動に活用すること、特に地域に根ざした活動への助成を目的に1994年に設立された。設立から現在まで、およそ80億ポンド（約1兆2000億円）を約4万5000のプロジェクトに支援している。プロジェクトあたりの平均的な助成額は750～1500万円と言われている。支援対象となる文化遺産は、博物館や歴史・産業・考古学遺跡等を含む建造物、景観、伝承記憶や歴史等の無形なものも含み、幅広い。支援で重視されることは人々のアクセス環境の向上、人々の関与、利用者や関心を持つ人々を増やすことである。つまり、保護だけではなく、価値の共有、次に活用が重視されている。

ヘリテージファンドの起源は、1946年に作られた政府系機関のナショナルランドファンド（The National Land Fund）、これを引きついだ1980年設立のヘリテージメモリアルファンド（The National Heritage Memorial Fund）にある。ヘリテージメモリアルファンドが、従来の文化遺産保護活動への支援から、人々の住む地域に根ざした文化遺産の保護活動に特化して助成を行う団体として設立した。英国では1990年代ごろから、地域単位で人々の生活と密接に関わる文化遺産活動への支援が進められている。これは他の領域も同様で、政府は民間によるコミュニティ活動を支援する制度を構築してきた。

(2) チャリティ（Charity）

英国には政府系機関とは別に、市民が設立した民間非営利組織が多くあり、市民がさまざまな公益的活動を担っている。文化遺産においても、その多くが民間非営利組織として活動を行っている。民間非営利組織が活動しやすいように作られた制度にチャリティがある。団体規模の大小にかかわらず、公益的な活動を行う団体の多くがこの制度を活用している。政府が設立したチャリティ委員会に申請をし、公益性等が認められればチャリティ団体になることができる。ナショナルトラストもチャリティ団体である。

チャリティ団体になる利点は、社会的信用と税制優遇を受けられることである。チャリティ団体＝公益性のある団体と認識され、資金調達、広報、ボランティアの確保が進めやすくなる。税制優遇措置には、①チャリティ団体が得られるもの、②チャリティ団体を支援する法人や個人が得られるものがある。前者について、チャリティ団体は公益事業、これに関係する収益事業で得た利益に対する法人税が免除される。また、チャリティ団体が個人から寄付を得た場合には、所得税分（寄付額の22%）を還付請求できる。後者では、個人がチャリティ団体に寄付した場合、金額の上限なく所得税控除を受けられ、法人も上限なく損金計上できる。この上限なく損金計上できる仕組みは、チャリティ制度を生かした独自の資金調達、組織運営につながっている。

チャリティ団体は公益事業と関係のない収益事業が認められていない。チャリティ団体が資金を得るには、個人や法人からの寄付、国や自治体の支援を頼る他ない。しかし、ナショナルトラストをはじめ、自ら多額の資金を稼ぎ、活動を行っている団体もある。チャリティ団体は、関連会社のような別団体を設立し、そこで収益事業を行う。別団体で得た利益は全額チャリティ団体に寄付し、寄付額全てを損金計上すれば法人税は発生しない。ナショナルトラストは、ナショナルトラストエンタープライズという会社を設立し、その利益全てをナショナルトラストに寄付し、これがナショナルトラストの活動資金になっている。収益事業ではホテルやレストランの経営、グッズ販売などが行われている。

2018年時点でチャリティ団体は約17万件あり、増加傾向にある。年間収入が約15億円を超える大規模団体は年々増えている。個人や法人の寄付の他にも、上述した方法による収益事業で資金調達している団体の増加が影響していると考えられる。注5)

3 英国の取組みからの学び

英国では産業革命を背景に、1900年ごろから文化遺産への関心が高まり、保護活動が行われてきた。その歴史は官民による制度づくりの歴史とも言える。英国では、アダム・スミス以降、政府は市場への介入を控えてきた。戦後から1970年代までの英国は、充実した社会保障制度で知られるが、これは社会の荒廃が経済循環を妨げる側面があることから、市場を機能させるために政府が介入したに過ぎない。チャリティ制度は現在では政府の制度と位置付けられるが、その歴史は1600年にまで遡り、教会を中心とした公益的な活動を支える制度として発展した。つまり、歴史的に民間が人々の公益を担い、国がそれをサポートする形をとってきた。

1990年代に入り、1970年代後半からの新自由主義政策の弊害が顕在化した。市場原理が優先され、失業者や教育を受けられない人が増え、荒廃する地域も増えた。そこで政府は、民間による公益的活動を政府がサポートする体制を拡充する方針をとり、チャリティ制度の見直し等が行われた。政府が直接支援するよりも、市民の力を生かし、自助努力次第で民間で資金調達しやすい環境を整えることに注力してきた。その結果、資産を運用し助成するファンドやトラスト、自ら収益事業で利益を生み、その利益を公益事業に活用する団体が増えてきたと考えられる。

英国の事例から、文化遺産の保護や活用では、知識や活動そのものに加えて、活動を支える制度をどのように構築していくかも重要と言える。場や物、活動を維持していくには費用がかかる。どれほどの想いがあっても、資金調達し費用を賄う仕組みがなければ、その場限りの活動になり、後世に受け継ぐことはできない。約100年にわたり取り組まれてきた英国の活動は、当初の自然環境、領主館、考古学的遺跡から、人々の記憶や語りに埋め込まれた無形なものへと関心を広げている。約100年の積み重ねが、有形無形を問わない文化遺産、有形と無形の融合による新たな価値への気づきをもたらしている。日本でも、活動を担う人々の声で、続く仕組みづくりが構築されることを期待したい。

注

1）英国ナショナルトラストについては、The Nation Trust（https://www. nationaltrust. org. uk）を参照。

2）信託財産とは、財産を信頼できる人に信託し、受託者は信託された財産を管理・運用し、そこから生まれた利益を委託者が指定した人（受益者）に渡す制度である。信託した財産の管理運用の目的は委託者が決められる（一般社団法人信託協会、https://www. shintaku-kyokai. or. jp/trust/base/、2021年10月31日閲覧）。

3）イングリッシュヘリテージについては、English Heritage（https://www. english-heritage. org. uk）を参照。2015年にイングリッシュヘリテージとヒストリックイングランドという2つの組織に分けられた。前者は文化遺産を管理する団体、後者は文化遺産のリスト化や助成などの整備を行う団体である。

4）ヘリテージファンドについては、Heritage Fund　(https://www. heritagefund. org. uk）を参照。

5）チャリティについては、National Council for Voluntary Organizations "HowCharitiesWork"（https://howcharitieswork. com）を参照。

第9章 文化遺産活用人材の育成と教育

9-1 英国と日本における大学教育の現状

高島知佐子

1 英国におけるヘリテージマネジメント教育

英国にはヘリテージマネジメントを学べる大学が多い。その特徴は、大学学部ではなく、大学院の修士課程で専攻として学べることである。インターネットや英国の大学に関する書籍等をもとに調べたところ、学部でヘリテージマネジメントが体系的に学べる大学は2校3コース、大学院では12校ある。ほとんどの大学が歴史学や考古学を中心に、部分的に博物館学やマネジメントを取り入れた内容になっている。英国では1882年に古代遺跡を保存するためのしくみが作られるなど、考古学への関心が高く、大学・大学院では特に考古学を基礎にしているところが多い。（表1）

いずれの大学・大学院の専攻も文化遺産そのものの学術的価値や保存方法等の理解を深めた上で、それを経済的・社会的な価値に結びつけることに重きが置かれている。また、文化遺産にかかる民間非営利組織の現場で働く人を講師に招いた授業、ユネスコのような国際機関や地域の博物館との連携がカリキュラムに組み込まれているところが多い。一例としてヘリテージマネジメント教育を行う大学としてよく知られているヨーク大学のカリキュラムを紹介する。

ヨーク大学は英国中部に位置し、1963年に設立された大学である。専門分野では、考古学が優秀なことで知られ、経済学、教育学、電子工学や生物学などの評価も高い。学生数の約10%が留学生で、その多くが大学院生である。[注1] 日本にも協定校が多い。同大学大学院のヘリテージマネジメントは、考古学の研究科に置かれている。1年間のフルタイムで修了

表1　ヘリテージマネジメント教育が行われている英国の大学・大学院

	大学名	専攻
大学院	University of Cambridge Durham University University of York University of Sheffield University of Southampton University of Leicester (注) University of Lincoln University of Birmingham (注) University of Liverpool Queen Mary University of London Bath Spa University University of Exeter	Heritage Studies International Cultural Heritage Management Cultural Heritage Management Cultural Heritage Management Business and Heritage Management Heritage and Interpretation Culture and Heritage Management International Heritage Management Sustainable Heritage Management Heritage Management Heritage Management International Heritage Management and Consultancy
学部	University of Buckingham Royal Agricultural University	History and Heritage Management History of Art and Heritage Management Environmental Conservation and Heritage Management

（注）社会人等を対象にした長期履修の修士課程または通信教育のみの大学。
（出所）インターネット検索等をもとに筆者作成。

するコース、2～3年で修了するパートタイムコースの2種類がある。英国には、修士課程、博士課程ともにパートタイムコースを設けている大学が多く、働きながら、子育てや介護等をしながら長い年数をかけて学位を取得する人は珍しくない。

ヘリテージマネジメント専攻では、基礎科目として、「Cultural Heritage Management 1・2」を履修し、1ではヘリテージマネジメントの基本的な考え方、実践を学ぶ。2では、文化遺産が公開される場である博物館やその利用者、文化遺産の価値共有に関わる解釈や説明（Interpretation）を理解する。基礎科目と理論系の選択科目は1科目20単位で、修了までに180単位取得しなければならない（表2）。基本的には考古学に関する科目が多いが、「Interpretation（解釈、説明、翻訳）」に関する科目も目立つ。基礎科目と理論系の科目に加えて実践系の選択科目もあり、1科目10単位と5単位の科目がある。記録や映像を含めITを生かした科目やデータベースなどのアーカイブに関わる科目が多い。フルタイムの場合は、これ

表２　ヨーク大学大学院の選択科目リスト

＜理論系科目＞

秋学期	春学期
歴史的建造物の分析	フィールドにおける考古学データの分析
分析と視覚イメージ	古代の生体物質
考古学者のための獣骨	ローマ時代の死・埋葬・記念
保護へのアプローチ	埋葬考古学におけるディベート
人間観	考古学におけるデジタル知識の生成
ランドスケープの考え方	国内の歴史的装飾
民族考古学	進歩の王国
フィールドにおける考古学データの収集	文脈における経験的考古学
筋骨格生物学	人間機能解剖
国家の形成	人間進化解剖
中石器時代の埋葬考古学	ホモ・サピエンス時代の狩猟採集社会
自然との共生	動物遺骸の翻訳・説明（Interpreting）
パブリックヒストリー	歴史的建造物の翻訳・説明（Interpreting）
ローマ時代のヨーロッパ	文化遺産の論点
持続可能性１	鉄器時代のイギリスとアイルランドの生と死
古代ケルト	中世の開拓地とコミュニティ
人骨の考古学	中石器時代の生活
バイキング時代	持続可能性２
	先史時代のランドスケープ

＜技術系科目＞

秋学期	春学期
＜10単位科目＞	＜10単位科目＞
博物館学と実践に関するディベート	記録の構築
考古学における資料とアーカイブ	文化遺産教育の実践
プロジェクトマネジメント１	プロジェクトマネジメント２
厄介な問題：現代考古学におけるディベート	ヨークを知る
ヨークを知る	＜５単位科目＞
＜５単位科目＞	解剖的変異の分析２
解剖的変異の分析１	保存の解決策
デジタルイメージ	文化遺産の映像づくり
経験的考古学のデザインと実践	人骨の実務２
地理情報システム	物質文化：実践における理論
文化遺産保護	放射性炭素の年代学
人骨の実務１	地理情報システムにおける空間分析
ランドスケープの調査と地球物理学	持続可能な建造物保存の技術
保存技術の実務	考古学的土器の理解
バーチャル解剖学と3Dモデリング１	文化遺産におけるユーザーエクスペリエンスデザイン
考古学のためのバーチャルリアリティと3Dモデリング	考古学データの利用
オンラインで働く	バーチャル解剖学と3Dモデリング２
動物考古学１	動物考古学２

（出所）ヨーク大学大学院ヘリテージマネジメント専攻のホームページ（https：// www.york.ac.uk/archaeology/postgraduate-study/taught-postgrads/modules-list/、2021年10月31日）より翻訳し筆者作成。

らの単位取得に加えて、2万ワードの修士論文を書かなければならない。1年間という短い期間を考えると充実したカリキュラムである。

英国の大学院には、社会人を経て大学院に入学し、次のキャリアに学位を生かそうという学生は多い。一部の大学院では、フルタイムのカリキュラムがなく、通信教育やパートタイム制のみであることから、ヘリテージマネジメントの分野では、働きながら大学院に通うニーズがあることが窺える。また、アーカイブやITに関する授業があることも現場のニーズや課題を反映していると言える。英国や米国は領域を問わず、日本に比べアーカイブやデータベース整備が進んでおり、官民双方から文化遺産の将来的な活用や適切な保護、研究や調査等を見据えた取り組みがなされている。

ほぼ全ての大学・大学院の案内に、将来の就職先として示されているのがナショナルトラストやイングリッシュヘリテージである。これらを含む文化遺産に関わる領域をヘリテージセクター（Heritage Sector）と呼び、キャリアの方向性に挙げられている。英国のヘリテージマネジメント教育とは、文化遺産の保護や活用を行う政府系機関、民間非営利組織に優秀な人材を供給するためのものと言える。

日本で民間非営利組織というと、ボランタリーな市民団体をイメージしがちだが、民間非営利組織の数が多く、その政策的影響力も大きい英国では、何百人、何千人という職員を雇用する民間非営利組織がいくつもあり、大学生や大学院生の就職先になっている。また、規模が小さくても、民間非営利組織＝ボランティアではなく、人材を雇用し組織的に活動をしている。ヘリテージマネジメントを仕事にすることができる環境があることが、大学院という専門教育での取り組みの多さにつながっている。つまり、職業として関わるためのヘリテージマネジメント教育である。

2 日本におけるヘリテージマネジメント教育

日本の大学でヘリテージマネジメントを体系的に学べる大学はまだ少ない。学部では佐賀大学、大学院では筑波大学がある。ヘリテージマネジメントという用語が一般には広がっておらず、その定義も曖昧なため、いずれの大学でも違う名称が冠されている。教養科目や選択科目の一つとしてヘリテージマネジメントやこれに類似する科目を開講している大学は多いが、体系的に学べる大学は限られている。本書が示してきた視点を含む教育内容という点で、ここでは佐賀大学と筑波大学を取り上げる。

佐賀大学では、芸術地域デザイン学部地域デザインコースが、ヘリテージマネジメントに相当する学びを提供している。[注2] 同学部・コースは、佐賀大学と有田窯業大学校の統合で生まれ、理論と実践の融合を重視している。有田窯業大学校は、1985年に佐賀県の重要な地場産業である有田焼をはじめとした窯業の後継者育成のために、佐賀県が設置した学校である。有田焼の人間国宝である十四代酒井田柿右衛門が校長を務めていた。2016年、有田窯業大学校が佐賀大学に吸収される形で統合され、佐賀大学の文化教育学部が芸術地域デザイン学部に改組され、「芸術表現コース」と「地域デザインコース」が設置された。有田窯業大学校の学びは、芸術表現コースの有田セラミック専攻に引き継がれた。以上の経緯から、佐賀大学のカリキュラムは芸術や地域に関する科目が多い。アートマネジメントやアートマーケティング、文化経済論などの科目もカリキュラムに含まれている（表3）。

佐賀大学のカリキュラムの特徴は、学部やコースに共通する科目に加え、3つの分野（キュレーション分野、地域コンテンツデザイン分野、フィールドデザイン分野）から一つを選び、特定分野について深く学ぶ点にある。フィールドデザイン分野は主に地域の歴史、文化に関する科目で構成され、ヘリテージマネジメントの要素が強い。実践系の科目が多いのも特徴で、3年時に地域でのフィールドワークやプロジェクト等への参加といった現場での活動が求められる。地域創生フィールドワーク、有田キャンパスプロジェクト、国内外芸術研修のいずれかを選ぶ。地域創生フィールドワークでは、学生がグループで地域地理や文化を調査し、地域の人々の協力を得て地域資源を活かした企画を展開するものである。有田キャンパスプロ

表３　佐賀大学芸術地域デザイン学部の科目一覧

学部共通科目	コース基礎科目	コース選択科目 （フィールドデザイン分野）
地域デザイン基礎	博物館概論	地域史論
芸術表現基礎	ランドスケープ	アーカイブズ論
デザイン発想論	地域再生論	陶磁史
デジタル表現基礎	ヘリテージマネジメント論	地域史演習
職業キャリア論	地域マネジメント論	古文書解読演習
流通論	社会政策	風土と地理学
アートマーケティング	コミュニティビジネス	地域調査分析
知的財産権学	美術史基礎	都市空間論
文化経済論	インターカルチュラル・コミュニケーションとアート	フィールドワーク実習
アートマネジメント	地域情報マネジメント演習	都市・地域空間史
地域再生デザイン学	フィールドデザイン演習	フィールドデザイン演習
比較オリエンタリズム研究	エリアスタディ演習	文化財の保護と活用
キーコンセプト・イン・アート	経営・流通演習	ヘリテージマネジメント演習
アートと科学	コンテンツデザイン	地域資源論
芸術文化・地域創生論	視覚伝達デザイン	博物館の政治学
	映像デザイン	エリアスタディー演習
	情報デザイン	美術品流通論
		ミュージアム・マーケティング
		地域雇用政策論
		経営・流通演習
		クリティカル・スタディーズ
		アート・イン・コンテクスト
		インターカルチュラル・コミュニケーションとアート

（出所）佐賀大学芸術地域デザイン学部ホームページ（http://www. art. saga-u. ac. jp/curriculum/curriculum_area-design. pdf、2021年10月31日閲覧）より一部抜粋し筆者作成。

ジェクトとは、旧有田窯業大学校のキャンパスを拠点に、有田町内で作品発表を行うものである。国内外海外研修では、国内外で芸術作品の歴史や歴史的建造物等の環境に直接触れ、その価値を他者に伝えることができる力を養う。地域の文化を再発見し、意味づけする能力、人々とその価値を共有する力を持つ学生を育てることが意識されている。

多くの大学がそうであるように、佐賀大学でも卒業後の進路は必ずしも文化や地域に関わるものばかりではない。大学の学部で地域の文化遺産や地域マネジメントの視点を持った学部やコースを作ることは、日本社会の抱える課題への対応、大学の学びを通した地域貢献、大学間競争が激化する中で特色ある学びを打ち出す意味を持っている。

筑波大学では、大学院人間総合科学研究群の世界遺産学学位プログラムでヘリテージマネジメントを学ぶことができる。[注3] 同プログラムの前身は、2004年に大学院芸術研究科に開設された世界遺産専攻で、それが幾度かの改組を経て、2020年に現在の位置付けとなった。修士課程では、自然を含む文化遺産の保護と活用を担う専門家の育成を教育目標に掲げている。カリキュラムには、市民参加や国際協力、文化遺産の保護に係る行政に関するものがあり、日本の自治体や国際機関との連携を意識した内容である（表4）。修士課程と博士課程を持つプログラムで、修士課程の学生や修了生には、ユネスコや博物館、自治体の文化財関連部署で働く人も多い。社会人学生には、実際にユネスコへの世界遺産登録の業務を担っていたものもいた。プログラムの名前通り、ユネスコ等による国際的な文化遺産の取り組みを想定し、これらに貢献できる人材を育成していると言える。

3 英国と日本の大学教育にみる社会と制度の違い

西洋諸国は、専門性による分業を重んじる傾向にある。キャリアや組織運営においても、どのような専門性を持つかで配属や職位が決まる。英国では幅広い領域で文化遺産の保護・活用がなされてきたことから、ヘリテージマネジメントにおける専門性も浸透しており、これが大学院教育の広がりにつながっていると考えられる。同時に、政府系機関だけではなく文化遺産に関わる活動を担う民間非営利組織も多く、多様な雇用先がある。職業としての可能性が、ヘリテージマネジメントを学びたい学生数にもつながり、複数の大学院での専門教育につながっている。

一方、日本ではまだヘリテージマネジメントという用語は浸透しておらず、定義もさまざまである。国や自治体、地域でヘリテージマネジメントに関わる、類似するような活動に従事していても、それぞれの独学や経験

表４　筑波大学大学院人間総合科学研究群・世界遺産学学位プログラムの「専門選択」科目一覧

共通科目	文化遺産論 文化遺産演習 自然遺産論 自然遺産演習 宗教論 無形遺産論 遺産保護行政論 世界遺産特別講義 世界遺産学インターンシップ グローバルに学ぶヘリテージ、創造性とアート グローバルの考究するヘリテージ研究デザイン
国際遺産学分野	国際遺産論 世界遺産と国際協力 世界遺産と市民参加 世界遺産と持続可能性 国際機関の役割 国際条約論 世界遺産演習 市民参加研究演習
遺産の評価と保存分野	建築遺産論 建築遺産演習 美術遺産論 美術遺産演習 保存科学概論 保存科学演習
遺産のマネジメントと プランニング分野	遺産整備計画論 遺産整備計画演習 文化的景観論 遺産観光論 プランニング演習 インタープリテーション概論
専門基礎科目	世界遺産を科学する 研究倫理

（出所）筑波大学大学院人間総合科学研究群世界遺産学学位プログラム履修ガイド 2021（https://www.heritage. tsukuba. ac. jp/wp-content/uploads/2021/04/2021 履修ガイド _0406. pdf、2021 年 10 月 31 日閲覧）より一部抜粋し筆者作成。

で取り組まれているのが現状であろう。日本では専門性よりも、状況に応じて多能的に動ける人材が重宝されやすい。日本独自の採用形態と言われる新卒一括採用では、大学や大学院での専門性があまり評価されないということもよくある。ヘリテージマネジメントを専門的に学ぶことが職業に結びつくわけではない状況が、大学や大学院での教育の少なさにもつながっている。

また、今後日本で求められるヘリテージマネジメント教育は、英国とは違う性格を持つであろうことが想定される。佐賀大学のカリキュラムに見られたように、日本のヘリテージマネジメントは地域マネジメントと密接なつながりがあると言える。日本の多くの地域がユネスコの世界遺産登録を目指してきた背景には、地域の人口減少、産業や文化面での衰退がある。世界遺産というグローバルなお墨付きを得ることで、地域の魅力、特徴を再評価し、それを観光等の地域活性化、発展に結びつけたいという思いがある。日本のヘリテージマネジメント教育とは、文化遺産の保護を超え、地域存続のための担い手育成として発展することが考えられる。現時点では、専門性やキャリアを提示するなら、筑波大学大学院のように国際機関等へのキャリアを見据え、グローバルな視点から文化遺産の評価、存続を担う人材の育成に重点を置かざるを得ない状況である。

グローバル、ローカル双方の視点から文化遺産に関わる活動が増えることで、日本のヘリテージマネジメントの定義、あり方が作られ、それが大学や大学院の教育内容にも影響していく。本書が示しているように、日本の文化遺産の範囲は広く、活動形態も多様である。一個人の関わり方もボランタリー、ビジネス、ライフワークとさまざまである。どのような活動が続けられ、広がっていくか次第で、日本のヘリテージマネジメント教育の形も変わっていくだろう。

注

1) University of York（https://www. york. ac. uk/about/）を参照。
2) 佐賀大学芸術地域デザイン学部地域デザインコース（http://www. art. saga-u. ac. jp/course/area-design/）を参照
3) 筑波大学大学院人間総合科学研究群世界遺産学学位プログラム（https://www. heritage. tsukuba. ac. jp）を参照。

9-2　文化遺産経営をめぐる日本国内の生涯教育

松本茂章

1 文化遺産経営人材をめぐる生涯教育

第９章１節の大学教育を受けて、第２節では話を日本国内に転じ、文化遺産経営をめぐる生涯教育のありように言及する。

本書の執筆者の１人である信藤勇一の調査によると[注1)]、日本の46都道府県では文化遺産経営人材を育成する講座や講習会等が開かれている。わが国で最初に開かれたのが兵庫の「ひょうごヘリテージマネージャー養成講習会」(2001年）である。京都の「伝統建築保存・活用マネージャー養成講座」(2005年）が続いた。各地の講座は地域ごとに固有の経緯を踏まえて実施され、登録される名称も異なってくる。「ヘリテージマネージャー」「伝統建築保存・活用マネージャー」「文化財マイスター」「地域文化財専門家」「文化財マネージャー」「文化遺産保存活用技術者」等（信藤調べ）である。2012年には組織化されて「全国ヘリテージマネージャーネットワーク協議会」が設立された。

信藤は調査を踏まえ「全国各地の講座のうち半数が建築士しか受講できない。あるいは非建築士が受講できても登録されなかったり、建築士とは登録名が異なったりする。もっと開放型の講座であるべきなのではないか」と問題提起する。そして「ヘリテージマネージャーは建築士資格と専門性に重きを置き、建築士職能の範囲で活動・実績をあげるべきと考えられている一方、建築士のみでは成立せず、多様な職業や職能が関わることが重要とする主張がある」と述べる。

NPO法人古材文化の会が始めた京都や大阪府国登録有形文化財所有者の会が講座立ち上げに関わった大阪の場合、開講の時点から受講生の対象を建築士に限定していなかった点に注目したい。本書が想定する文化遺産経営人材は有形（建造物）に限定されず、無形の文化遺産の保存・活用に

表 1　文化遺産育成人材の講座に関する分類（46 都道府県）

建築士型 修了後、建築士のみがヘリテージマネージャー等として称され、または登録されたり修了証を交付されたりする（23 都県）	**オープン型** 修了後、建築士ではない者も、何らかの名称で称され、または登録されたり修了証を交付されたりする（23 道府県）
建築士のみが受講でき、修了後、何らかの名称で称され、または登録されたり修了証を交付されたりする。（14 都県） 宮城、茨城、栃木、千葉、東京、新潟、石川、長野、愛知、島根、岡山、長崎、熊本、鹿児島	建築士も、建築士でない者も受講でき、修了後に同じ名称で称され、または登録されたり修了証を交付されたりする（建築士でない希望者に何らかの受講資格を求める場合もある）。（18 府県） 青森、岩手、秋田、山形、群馬、神奈川、福井、三重、滋賀、京都、大阪、兵庫、奈良、広島、山口、香川、福岡、大分
建築士も、建築士でない者も受講できるが、修了後に建築士のみが何らかの名称で称され、または登録されたり修了証を交付されたりする（建築士でない希望者に何らかの受講資格を求める場合もある）。（9 県） 福島、埼玉、岐阜、富山、徳島、愛媛、佐賀、宮崎、沖縄	建築士も、建築士でない者も受講でき、修了後に何らかの名称で称され、または登録されたり修了証を交付されたりするが、建築士と建築士ではない者の名称は異なる。（5 道県） 北海道、静岡、和歌山、鳥取、高知

（出典：信藤勇一「歴史文化遺産活用とまちづくりに貢献するヘリテージマネージャー職能からの考察」(2020) をもとに信藤が追加調査を行い、松本が表を作成）
・都道府県によっては受講資格の「建築士」に建築士受験資格者や建築系大学在籍者を含む場合もある。

も心配りできることを前提とする。さらに建造物の活用にしても建築保存技術にとどまらず、歴史的素養、店舗経営能力、催し運営能力、資金調達能力、税金対策知識、行政との折衝、地域振興・まちづくりに関する人脈構築…など実に幅広いマネジメント力を身に着けた人材の登場が待たれていると考える。

2 NPO 法人古材文化の会による取り組み

文部科学省の HP 等によると[注 2)]、建築士の資格を問わない講座は京都で先駆的に始まった。認定 NPO 法人古材文化の会（京都市東山区）が 2005 年から「伝統建築保存・活用マネージャー養成講座」を始め、2009 年からは京都市、公益財団法人京都市景観・まちづくりセンター、古材文化の会の 3 者で構成する実行委員会が「京都市文化財マネージャー育成講座（建造物）」を開催。2019 年 9 月から京都府建築士会も実行委に加わった。

古材文化の会の前身は1994年に設立された古材バンクの会である。木造住宅等が壊されて姿を消していく当時の状況を懸念し、木造建築の材料をストックして文化財の補修や町家の再生などに活用したいとの声があがった。1992～1993年度に京都府林務課が行った木質廃棄物再資源利用促進体制整備事業の古材リサイクル検討部会で検討。その後、部会員を中心に1994年、任意団体古材バンクの会が設立された。2001年にはNPO法人となり、2006年に古材文化の会に名称変更した。

活動目的は、①古建築及び古材の保存と活用を促進する、②伝統的木造建築文化と建築技能の継承と発展を図る、③資源と共存する持続可能な社会の実現を目指す─の3項目である。木造建築の保存や活用の相談、再生建築見学、講座開催、調査活動、人材育成など多彩な活動を展開している。本稿では人材育成に焦点を当てる。2005年から4年間、「伝統建築保存・活用マネージャー養成講座」を開催した。2009年からの京都市文化財マネージャー育成講座（建造物）では同会が事務局を務める。両講座のカリキュラムはほぼ同様で、2005年から2021年3月末までの受講者総数545人、修了者総数452人に達している。これだけの文化遺産活用人材が巣立った。

同会によると、京都市文化財マネージャー育成講座（建造物）は講義と演習で構成される。特色は大きく分けて5つある。1つには、受講の際に建築士資格を問わないので受講生は多様性に富んでいる。建築士、工務店・瓦店の勤務者など建築関係者が中心ではあるものの、神社仏閣などの歴史愛好者、古民家に関心のある主婦、まちづくり関係者、出版社勤務者、税理士、学生などが幅広く参加する。2つにはグループワークの試みである。6人で1班のグループワークを行い、建築士の資格を有する受講生と建築士ではない受講生を組み合わせる。班ごとに修了レポートをまとめて総合的・実践的な学びを行う。3つには文化財保護・活用を少数の専門家に委ねず、市民を巻き込み、地域で保存する立場であることだ。「市民を育てることが文化財の保存を地域総ぐるみで図ることにつながる」と事務局は説明する。4つには修了後には2つの登録ができる。希望者は京都市の「京都市文化財マネージャー」、及び古材文化の会の「伝統建築保存・活用マネージャー」に登録可能である。5つには修了後の活動が盛んだ。修了生仲間による調査活動が続けられたり、修了生が自発的に講座のサポートチームをつくり、後輩を盛り立てたりする。

古材文化の会の前身である古材バンクの会が全国組織で発足した経緯から、同講座の受講生は京都の市民・府民だけに限らない。事務局長の白石秀知（1948年生まれ）の話によると注3)、近年の受講生は京都と京都以外が半々で、10～12期の受講生は女性が40%を超えた。修了課題の調査先は京都が多いが、大阪、奈良、兵庫、滋賀の事例も含まれる。

2005年の第1回には89人の応募者があった。内訳は男性55人、女性34人。地域別では近畿圏76人、関東7人、中部3人、東北・北陸・九州各1人。一級建築士41人、二級建築士16人、その他の建築関係者11人、資格なし19人、その他2人、だった。このうち抽選で受講生36人（6班で各6人）を選んだ。現在の定員も36人で先着順にて受け付ける。

3 京都市文化財マネージャー育成講座（建造物）のカリキュラム

同講座は原則土曜日に開講する。授業時間は66時間。仕事の忙しい受講生は2～3年がかりで受講して修了するため、授業名は変えないように努めている。白石は「講座責任者としてカリキュラムづくりや講師選定に関わってこられた大阪産業大学准教授の中川等先生の存在は大きい。中川先生の尽力を抜きに講座を語ることはできない」と述べ、「当初の受講生は『発見・調査』を志向する場合が多かった。近年は『保存・活用』に関心を持つ受講生が増え、まちづくりにも関心が広がってきた」と話した。

講座修了生は多彩な活動を展開する。たとえば京都市の事業「京都を彩る建物や庭園」の調査活動である。同事業は市民が「残したい」と思う建物や庭園を自薦・他薦で公募している。専門家による認定のための調査活動は京都市が同会に有償委託する。京都市文化財マネージャーが実務を担

表２　京都市文化財マネージャー育成講座（建造物）第 11 期カリキュラム

	午前	午後
1 回目		開講式･オリエンテーション／保存･活用概論／受講生･スタッフ自己紹介
2 回目	民家建築	歴史的建造物の継承と暮らし／講義終了後、登録文化財と重要文化財を見学
3 回目	住宅建築	文化財保護法／京都市の文化財
4 回目	寺社建築	歴史的建造物の技法（瓦葺）／歴史的建造物の技法（左官）／指物の技法
5 回目		演習 1（指定文化財の修理現場見学）
6 回目	循環型社会と保存・活用	保存・活用のマネージメント／歴史的建造物の再生理念／観光活用とその課題
7 回目	庭園の様式	近代洋風建築／歴史的建造物の調査と評価
8 回目	演習 2（歴史的建造物調査）	演習 2（歴史的建造物調査）
9 回目	歴史的建造物の耐震補強	保存・活用と再生設計（構造設計）／保存・活用と再生設計（意匠設計）／演習 2 の中間報告／修了課題の中間報告
10 回目	歴史的環境の整備	保存・活用とまちづくり（1）／保存・活用とまちづくり（2）／演習 2 の講評／演習 3 の説明／修了課題の中間報告
11 回目	演習 3（保存活用相談）	演習 3（保存・活用相談）
12 回目		建築基準法・景観法／演習 3 の講評／修了演習の中間報告
13 回目	歴史的建造物と防災対策	歴史的建造物の継承と税金／修了課題中間発表会
14 回目	修了課題発表会	修了課題発表会（終了後、講座修了式・修了証書授与）

（出典：古材文化の会から提供された第 11 期募集要項をもとに松本作成）

い現地に足を運ぶ。図書館に通い古い文献を探したり、法務局に出向いて閉鎖登記簿を閲覧したりする。報告書は京都市と所有者に提出する。この調査がきっかけとなって所有者が価値を再発見し、国登録有形文化財に登録された例もある。

修了生同士の交流が盛んだ。修了生で組織された団体「古材文化の会伝統建築保存・活用マネージャー会」（愛称・KOMO）は年に 1 度「KOMO フェスタ」を開催。各地で活動する修了生の活動発表と交流の場として開催され、現在は話題の建物の見学会を行い、改修・活用現場を視察する。同会が 2017 年から始めた「見守るネット」も、講座を修了した人材を活用する流れから発案された。修了生らが参加して気になる伝統的建造物の様子を見守り、所有者らと信頼関係を構築する。所有者の抱える様々な課題に対してともに向き合い、解決に導くことが狙いだ。

同会理事の笠原啓史（1965年生まれ、建築設計事務所主宰）は初代KOMO代表で、現在は同会・見守る部会長を務める。「修了後もつながりが続くところが興味深い」と話した[注4)]。笠原自身、第1期伝統建築保存・活用マネージャー養成講座の修了生である。その後、講座の講師も引き受けた。笠原は「歴史的な建物に興味のある主婦や定年退職者、社寺の歴史に詳しい方など建築士以外の多様な受講生から大いに刺激を受けた。今後のまちづくりは様々な専門性が必要になってくる」との考え方を示した。そして「歴史的価値や経営的なことも踏まえ、現代社会にどのように活かしていくかを総合的に企画でき、多様な人材をつなげるプロデュース能力が欠かせない」と指摘する。さらに「もはや単体の建物保全にとどまらず、地域の課題解決の手がかりの1つとして歴史的建造物をどう活用していくのかを考える時代がやってきた」と言葉を続けた。

4 京都市文化財マネージャー育成講座（建造物）に関わる多彩な人材

筆者が古材文化の会に注目した理由は、京都市文化財マネージャー育成講座開設の狙いと本書編纂の狙いが通底するところである。建築士でない人材も文化遺産経営には欠かせない存在だと思うとき、同講座のカリキュラムをみると、建築技法の授業に加えて「歴史的建造物の継承と暮らし」「観光活用とその課題」「保存とまちづくり(1)(2)」「歴史的建造物の継承と税金」などの授業が盛り込まれており、興味深い。

調査を進めるうちに、本書に登場する複数の人物が同講座に関係することが次第に分かってきた。第6章2節に登場する藤岡龍介は同会の副会長や事務局長を務めた建築家で、講座当初から講師を引き受けてきた。本書第6章2節で取り上げたJR京終駅駅舎がそれほど注目されていなかった頃に藤岡は講座の修了課題に同駅を勧め、第5期の受講生が京終駅を調査して報告書をまとめた。JR京終駅舎を管理運営するNPO法人京終の専務理事に就任した長男・俊平は同講座を受講して修了した。さらにインタビュー編に登場する日建設計ヘリテージビジネスラボの西澤崇雄（本書158～162頁）も同講座の修了生である。西澤は「建築士でない方の意見を聞くことができた。文化財所有者の『お困りごと』が分かって良い経験になった」と振り返り、新たなビジネスを提案した背景の1つになったことを打ち明けた。本書に縁のある講座なのだと痛感した。

今まさに、地域固有の文化遺産は「塩漬け」的な保存を行うだけでなく、活用することで現代社会に生きてくる。古民家を壊して大量の廃棄物を生む行為は持続可能な発展（SDGs）の精神にも反する。

一方、本書の執筆を通じて男女共同参画には物足りない面があることを感じた。文化遺産経営人材は男性に偏りがちだったのではないか。講座の受講資格を建築士に限定する形から受講資格を開放型にし、幅広い人材が加わるようになればジェンダー的な偏りも改善されると期待できる。

これまで各地で開かれてきた文化遺産経営人材育成の講座等が、生涯教育として貴重な場であったことを十分に評価したい。今後は建築士に限らず、幅広い層を文化遺産経営人材に育てていく努力が求められる。

市民のなかに「ヘリテージマネジメント」という言葉が「建築物の保存や修復」と同等である、との考え方が広まるならば、日本における文化財保護政策や文化政策を進めるうえで、決して得策だとは思えない。歴史的建築物の保存にとどまらず、有形・無形の継承・活用に関心が高まる政策が急務であると警鐘を打ち鳴らしたい。「ヘリテージ」や「文化遺産」はもっと広範囲で総合的なものだと考えるからである。

注

1）信藤勇一が日本文化政策学会第13回研究大会で発表した際の資料による。

2）文部科学省HP。https://www.mext.go.jp（2021年9月15日閲覧）

3）2021年9月30日に行った白石秀知への聞き取り調査。

4）2021年10月12日に行った笠原啓史への聞き取り調査。

第10章 文化遺産活用に広がる大きな可能性

松本 茂章

1 文化遺産経営と文化芸術経営はつながっている

政策（Policy）と経営（Management）は「コインの表裏」の関係に位置づけられると筆者は考えている。現代社会の課題を発見して制度設計を講じ、対策を練ることが政策ならば、経営は実践であろう。マネジメントの世界では、「いかにしてうまくやっていくか」「持っている資源をいかに有効に活用するか」等が問われる。

文化政策研究者である筆者からみるとき、文化芸術の振興をめぐり、中央政府、地方政府（自治体）、民間団体などが進める取り組みは文化政策（Cultural Policy）に位置づけられ、文化芸術の現場における実践・工夫・改善等は文化芸術経営（Art Management）であると理解している。文部科学省や文化庁、都道府県や市町村等による文化財保護政策を考える場合、文化遺産経営（ヘリテージマネジメント）は現場の実践・工夫・改善等に相当する。本書の第3章から第8章までの事例編において、全国各地の意欲的な取り組みを紹介してきた理由は、文化遺産経営の実践現場における「妙味」や「苦心」を伝えたかったからだ。

筆者が文化遺産経営に関心を抱いた理由の1つは、文化遺産経営と文化芸術経営の間に違いを見出したからである。従来の文化芸術振興は、行政からの補助金に頼りがちであった。商業化されていない「これから育つ文化芸術」を振興するためには、公的資金に依存せざるを得ない面があったことは否めない。しかし、行政における未曽有の財政難に伴い、文化予算が削られる恐れがあるなか、先行きは不透明である。

対して、本書で紹介した文化遺産経営の事例からは「自分たちで一定額を稼いでみよう」というチャレンジ精神を感じることができる。筆者はこの姿勢から大いなる刺激を得た。このため文化遺産経営から得られた教訓を踏まえて、文化芸術経営のありようを再考できると考えた。逆に、文化芸術経営から得られた知見を文化遺産経営にも生かせる、とも感じるのである。

アートマネジメントは「社会とアートをつなぐ」取り組みであるとされ、典型的な学際分野だ。人文科学（芸術学、美学、演劇学、音楽学、歴史学など）と社会科学（法学、政策学、経済学、経営学など）、さらには自然科学（工学など）のアプローチから研究が進められてきた。日本アートマネジメント学会が1998年に設立されて20年余り。同学会長を拝命する筆者が編者を務めた松本茂章編『はじまりのアートマネジメント』（水曜社、2021）では冒頭の理論編に3つの視点を盛り込んだ[注1]。

1つには文化芸術団体・組織のマネジメントである。持続可能な芸術文化経営を可能にするためには団体・組織を安定的に切り盛りすることが前提になる。このためには、いかにして財源を確保できるのか、どのような人員を配置するのか、などが求められる。

2つには事業のプロデュースである。作品の魅力を伝えたり資金を調達したりするためには事業を行って収入を増やす不断の努力が必要になってくる。どのような芸術作品を創造するのか、いかなる出演者を舞台に招くのか、どんな普及活動を行い、広報宣伝していくのか、などの課題が想定できる。

3つにはファンづくりのマーケティングである。事業運営のためには多くの消費者の心に訴え、消費行動を起こしてもらうことが欠かせない。美術展や演劇公演ではどのようなチラシやポスターをつくるか、SNSをいかに巧みに使うか、どのような入場料設定にするか、などが考えられる。

上記3つの視点は同様に文化遺産経営にも適用できるのではないか？持続可能な団体・組織経営の視点については、歴史的建築物を改装した店舗の売り上げ、公演や展覧会の参加費、ワークショップ、あるいは賃貸収入などの必要性が予想される。歴史的建築物の活用を試みる場合には、建築的な修復・復元が試みられ、場を活用するアイデアや企画力が問われるだろう。

事業のプロデュースの視点については、歴史的建築物の雰囲気を大切にしながら建物を傷めないように配慮して、いかなる公演や事業を開催するのか、どんなワークショップを開けばいいのかなどの検討が必要だろう。

ファンづくりのマーケティングの視点については、遺跡や遺物の発見をいかに巧みに伝えて一般の人々の心に訴えかけることができるのか、文化財に指定された歴史的建築物がいかに貴重な地域の宝であるかを周知できるのか、などの戦略が想定できる。歴史ファンにとどまらず、広く一般の人々に文化財の価値を伝えてこそ「訪れてみたい」と思ってもらえる。

上記からアートマネジメントと文化遺産経営には違いもある一方で、通底するところがある、と筆者は考えている。文化芸術であれ、文化遺産であれ、「文化をめぐる経営」という点には共通性を見出せる。アート（芸術）とヘリテージ（文化遺産）をめぐるマネジメントには、同じ課題が横たわっている。先述した3つの視点を考えながら、本書の事例編（第3～8章）を読み進めていくと、新たな示唆を得られるものと期待する。

2 東京一極集中に風穴を開ける

とはいえ筆者は「お金を稼ぐ」ことだけが文化遺産経営の本意であると思っているわけではない。むしろ雇用が生まれ、このまちに住み続けることのできる持続可能性が大切なのだと思う。何よりも、文化遺産経営が成功すれば「このまちに生まれて良かった」「住み着いて幸せだ」と感じることができ、地域の誇り（プライド）形成につながり、市民に定住してもらえる効用を大切にしたい。地域の独自性を生み出すことに関心を有する。

本書の第3章から第8章までの事例編を読むと、実に多様な社会状況が浮かび上がってくる。地域文化遺産経営を巧みに進めることができるならば、東京一極集中の弊害を打開する突破口になり得ると期待する。

第2章1節で文化政策論を展開した中川幾郎によると、自治体文化政策を構成する施策や施設に関する事務は、ほとんどが「法定外自治事務」である。国の事務を受託して行う「法定受託事務」では決してない。中川は文化政策について「自主的（みずからの財政責任において）かつ主体的（みずからの政策判断に基づいて）に行う政策領域である」と語った。この言葉の意味は重い。自治体の裁量部分が大きいぶん、自治体の独自性を打ち出すことができるわけだから。

さらに中川は同節において「自治体文化政策は、地方分権を前提とした自治体経営を考える場合に、極めて大切な政策領域である」と指摘。2018年に行われた文化財保護法改正に注目した。中川によると、同法改正は「文化財保護を点から面へと示し、文化財活用をたんなる消費に終らせず、そこから生じた利益を文化財保護に使う循環的な仕組みを示唆した」としたうえで、文化庁の「指針」において、市町村が策定する「文化財保存活用地域計画」によって地域ぐるみで文化財（未指定の文化財も含む）を保護していく方向性が示されたとする。同地域計画の運用は、まちの魅力づくり、歴史的資源を活かしたまちづくりに昇華するわけで、教育委員会の文化財行政の範疇を超えていく、との主張を展開した。

筆者が思うに、文化財保存活用地域計画づくりが市町村の裁量次第なのであれば、指定文化財だけでなく、地域のシンボルになると思われる文化遺産を、自治体の判断で同計画に盛り込むことができるのではないか。市町村は重要な裁量を手にしたとも言い換えられる。

私たちの地域社会は、文化遺産経営を巧みに進めることを通じて、地方分権に新たな地平をもたらすことができるのではないか。文化財指定の優品主義を乗り越え、文化遺産経営に目覚めた市町村が自由な発想や判断を行うことができれば、東京一極集中に対抗し得る可能性が浮上する。文化遺産経営には「地方分権」の狙いが背後に秘められている。

分権と同時に、文化財保護政策や文化遺産経営は、国民や地域の人々の心を束ねる可能性を有する。第8章1節（西村仁志）によると、米国の国立公園局は、独立戦争や南北戦争の戦跡、ワシントンDCのリンカーン記念堂、ニューヨークの自由の女神、第二次世界大戦中の日系人強制収容所など、「優れた業績から内輪の恥まで、国家としての成長のあらゆる側面を浮き彫りにする地域や場所」を管理運営している。現代社会で、人々は分断されていると指摘されるが、文化遺産経営は、帰属意識の再構築のためにも欠かせないものなのだと痛感する。

3 文化遺産経営は省庁の壁を越えていく

本書を編纂するに当たって、編者としては特定の省庁の管轄だけを取り上げないように留意しようと心に決めた。文化財保護法なら文化庁（文部科学省)、建築基準法なら国土交通省が所管することは知られていても、実際にはもっと複数の省庁が文化遺産経営に絡んでくるからだ。

実際、本書において実に盛りだくさんの事例を取り上げた。たとえば山梨県都留市・尾県学校の活用事例を紹介した第3章2節（森屋雅幸）では、高齢者の心身の健康に対して文化遺産経営が良好に作用している実態が明らかにされ、そうだったのか、と感心しながら読んだ。健康は厚生労働省の所管である。第7章2節（松本茂章）では世界農業遺産に認定された静岡県のお茶づくりが産業振興と地域の誇り形成につながっている実態を述べた。農業は農林水産省の所管である。国立公園を題材にした第8章1節（西村仁志）は環境省とつながってくる。観光面でいえば松江のゴーストツーリズムに言及した第6章3節（松本茂章)、そしてギリシアに焦点を当てた第8章2節（石本東生）は、まさに観光庁に関わる。

第3章3節の西尾市歴史公園などの公園行政は国土交通省に関係する。まちづくりの課題ならば総務省にも話が及ぶ。このように現代社会は複雑化し、政策分野が省庁をまたがるようになってきた。たとえば歴史まちづくり法は国交省、農水省、文化庁（文部科学省）の共管として制定された。

時代の潮流を考えるならば、文化遺産経営をめぐる政策がクロスオーバー化していくことは、必然の流れなのである。

自治体においても同様である。今後、文化財保護政策、あるいは文化遺産経営の取り組みを考えるときには、教育委員会にとどまらず、首長部局の複数の部署を交えて、庁内横断的な施策が急務になってくる。

文化遺産経営を進めるためには、国でいえば省庁横断的に、自治体であれば首長部局と教育委員会がクロスオーバーするように、それぞれ取り組まねばならないのであれば、文化遺産経営人材のありようも、激しく変容を迫られていくことは間違いがない。

4 総合的なプロデュース能力が問われている

これからの文化遺産経営人材には、どのような能力が求められ、不可欠なのだろうか？　改めて考えてみたい。

第2章1節で中川幾郎は、文化財保存活用地域計画の運用がまちの魅力づくり、歴史的資源を活かしたまちづくりに昇華することから、教育委員会の文化財行政の範疇を超えていく、と指摘した。そして「まちづくりのストーリー形成、民間ヘリテージマネジャーなど関係者の重層的かつ多様なネットワーク形成のため」には「行政と民間との協働によるプロデュースが必要となる」ことをうたった。中川は政策論のアプローチからプロデュース能力の必要性を問いかけたが、建築家からも同じような意見が出された。

第9章2節で紹介したNPO法人古材文化の会理事を務める笠原啓史(一級建築士）が述べた言葉を思い出そう。笠原は「歴史的な建物に興味のある主婦、定年退職者、社寺の歴史に詳しい方など建築士以外の多様な受講生から大いに刺激を受けた。まちづくりは様々な専門性が必要になってくる」との考え方を示した。そして「歴史的価値や経営的なことも踏まえ、現代社会にどのように活かしていくかを総合的に企画でき、多様な人材をつなげるプロデュース能力が欠かせない」と指摘した。さらに「もはや単体の建物保全にとどまらず、地域の課題解決の手がかりの1つとして歴史的建造物をどう活用していくのかを考える時代がやってきた」と述べた。

時代は、総合的なプロデュース能力の向上を要請しているのではないか、と筆者は理解した。

5 文化遺産経営人材をいかに育てるか

人材育成を考えるにあたり、先駆的な英国の事例を踏まえてみたい。第9章1節（高島知佐子）によると、英国では相当の大学で文化遺産経営に関する学科・専攻・コースが設けられている。学部で2校3コース、大学院で12校あった。文化遺産に関係する民間非営利組織の現場で働くスタッフを講師に招いたり、国際機関や地域の博物館との連携がカリキュラムに組み込まれていたりする。

英国の大学院では、社会人を経て進学し、次のキャリアに学位を活かそうとする院生が多いそうだ。働きながら、子育てや介護をしながら、学位を取得していく。高島は「英国のヘリテージマネジメント教育とは、文化遺産の保護や活用を行う政府系機関、民間非営利組織に優秀な人材を供給するためのものと言える」と述べている。

こうした英国の先例から日本が学ぶところは少なからずある。わが国では佐賀大学や筑波大学などで試みられているが、設置された数はまだ少ない。大学教育が時代に追い付いていないとの印象を抱く。

わが国において、文化遺産経営人材の生涯教育は全国各地で行われている。一定の普及が進んだことに一定の評価をしたい。全国ヘリテージマネージャーネットワーク協議会には46都道府県が加わるなど、着実に前進しているように映る。対して第9章2節で紹介した信藤勇一の調べによると、「建築士型」（信藤）が半数を占めるという。同節で取り上げた京都市文化財マネージャー育成講座（建造物）など、建築士でない一般市民らにも開放しているところがある一方で、建築士の資格を有さない人材を受け入れる体制が完備されたとまでは言い難い状況が続いている。このことは指摘しておきたい。

これからの文化遺産経営人材の育成を考える際には、より総合的な視点でものごとを考える立場の人材が欠かせなくなってくる。総合的という意味は、法制度への知識、行政施策に対する十分な理解、建築技法の習得、資金調達能力、事業企画する力量、などを身に着けたい、という意味だ。これを前提として本章の冒頭において述べた「持続可能な団体・組織マネジメント」「事業のプロデュース」「ファンづくりのマーケティング」を実現するための教育の整備を考えなくてはならない。

文化遺産経営人材の養成には「縦糸」と「横糸」の双方が必要である。「縦糸」は歴史への敬意と知識である。「横糸」は現代社会の制度や仕組みに対する知識や理解である。この2つがあってこそ「布」になる。

もっとも授業時間数の急な増加は現実的ではないと思われた。働きながら学ぶ社会人たちが多いので、複数年かけてじっくりと修了していく英国事例が参考になるだろう。

第8章1節で西村仁志が言及した米国国立公園で行われてきた「インタープリテーション」にも注目したい。「自然地域や歴史地域、社会教育施設等における教育的なコミュケーション」だと位置づけられているのだが、この能力を有する人材は、文化遺産経営人材と重なり合う部分があるのではないか。「語る」能力、意思疎通する力が問われる。文化遺産経営が今後ソーシャル・インクルージョン（社会的包摂）を強く意識するならば、インタープリターは欠かせない人材であろう。

それにしても、欧米事例からみるとき、文化遺産経営人材の育成を考えるには「仕事にすること」を前提としなければならないと肝に銘じたい。

第9章1節（高島知佐子）で指摘されたのは英国の大学院教育は職を得ることを前提としている実情だった。いわば職業教育なのである。文化遺産経営によって雇用が生まれないと、学んでも就職先がない事態になる。これは何とかして避けたい。西村が先に述べたように、米国国立公園のパークレンジャーが約2万人いるのに対して日本の国立公園レンジャー（自然保護官）は約300人というのだから、大きな格差がある。

6 文化遺産経営の将来像

本書で述べてきた論考や事例紹介を踏まえて、本章の最後に、ヘリテージマネジメント、あるいは文化遺産経営の定義を改めて示しておきたい。

第一に、文化遺産を後世に伝え、活用しつつ、地域を活性化させ、元気にしていく取り組みである。まちづくり、地域振興策、地方創生などの言葉が浮かぶ。第二に、地域を元気にするためには、持続可能な団体・組織の経営が不可欠になる。法人であれ、任意団体であれ、サスティナビリティ（持続可能性）が鍵になってこよう。第三に、自営であれ、会社員であれ、公務員であれ、建築士であれ、人文科学の知識、社会科学の見識、建築学の技法のいずれにも目配せできるようになりたいものだ。これら３つについて総合的にバランスよく取り組むことが文化遺産経営の本意である、と本書では定義しておきたい。これから、一層の調査や研究を重ねることを通じて、この定義をより精緻化させていきたいと決意している。

すでに日本各地では優れた文化遺産経営人材が活躍している。たとえば本書のインタビューに登場する寺西興一（全国登文会会長）である。大阪府職員として長く建築行政に携わったうえ、自ら国登録有形文化財を所有する。木造２階建て長屋を取り壊してマンションを新築するよりも長屋の改修の方が収益性に優れていたとの試算を示した。文化とビジネスのバランスのとり方が興味深かった。第５章２節で取り上げた青山ビル所有者の青山修司（大阪住宅株式会社専務）も国登録有形文化財を有して不動産会社を営む一方、地下スペースを用いて非営利で芸能支援活動を展開している。幼少時から古典芸能に親しみ、神戸大学大学院法学研究科を修了して法律や制度に詳しい。ビジネスパーソンでありつつ、古典芸能や法律に精通する人物だ。本書でいう総合的な文化遺産経営人材に相当すると受け止めている。学芸出版社での前作『文化で地域をデザインする』でうたった「地域文化デザイン人材」と通底する人々は各地にも存在するはずだ。

新型コロナウイルス感染拡大を経た世界は新たな局面を迎えている。多額の財政出動を経て、政府や自治体はこれから未曽有の財政難に見舞われると予想される。激変する社会情勢のなか、単に「文化は大事である」という話ではすまなくなる。この問題意識から、文化遺産経営を考える先駆的な書籍を出版したいとの熱い思いに至った。これからの文化遺産経営には新たな可能性が広がっていることを書籍で示したかった次第である。

注

1）松本茂章編『はじまりのアートマネジメント』水曜社、2021年、の第2章（高島知佐子、桧森隆一、太田幸治、25～70頁）を参照。

■ column ■

楽器製作者のネットワークに培われたドイツの辺境地方

—マルクノイキルヒェンとその周辺

藤野一夫

無形文化遺産の日独比較

ユネスコは2003年、無形遺産の保護に関する条約を採択したが、ドイツが条約を批准したのは2013年と遅かった。これ以降ドイツ・ユネスコ委員会は、各州（一般市民が州政府に申請し、1州で最大4件、16州全体で上限64件）から申請された資料を21人で構成される専門家委員会で審査し、連邦政府文化・メディア庁と教育省大臣会議からの承認を受けるという、ボトムアップ型の文化分権主義を制度化してきた。2021年3月時点で、126件の無形文化遺産が国内リストに登録されている。

さて、有形の世界遺産で欧州に大きく遅れをとってきた日本は、「お家芸」の無形文化財の分野で世界を牽引する文化政策を打ち出した。筆者は2017年9月、ヒルデスハイム大学、日本社会文化学会、ベルリン日独センターの共同主催による日独シンポジウム「生きた伝統—無形文化遺産の保存継承」を企画し、無形文化遺産に関する日独の専門家による議論を公開した。2018年12月には、国際シンポジウム「無形文化遺産の保存と活用—グローバル化の中でローカルなものの価値を問い直す」を神戸大学で開催した。

本エッセイでは、2つのシンポジウムの全容を紹介する紙幅はない。そこで「音楽の国」ドイツにふさわしい楽器製作の技術とその伝承、また辺境地域における楽器製作を中核とした、教育と産業とコミュニティのネットワーク形成について取り上げたい。本事例は、マルクノイキルヒェン市文化課長カローラ・シュレーゲル氏のシンポジウム報告をもとに、2018

年6月に実施した現地ヒアリングを加えたものである。

無形文化遺産としての楽器製作とその保護

ザクセン州の芸術の都ドレスデンから、シューマンの生地として知られるツヴィッカウに向かい、ここでローカル線に乗りかえると、深い森と谷に囲まれたフォークトラント地方に入ってゆく。チェコとバイエルン州に隣接する国境三角地帯だ。爽やかな高原の駅に着くと、目的地マルクノイキルヒェンの市長自らが、カローラと一緒に自家用車で出迎えてくれた。

フォークトラント地方とその近郊における楽器製造は、2014年にドイツ国内の無形文化遺産リストに登録された。この地方の楽器製造の歴史は約350年。その起源は、30年戦争の終わりに宗教難民として移住したボヘミア出身のヴァイオリン製作者が1677年、12人で同業者組合を組織したことに遡る。これはドイツ最古のヴァイオリン製作所として知られており、現在では1300人もの職人が働いている。その多くは第7世代にあたる。一人で仕事をしたり、弟子と仕事をする独立したマイスター（写真1）から、中規模の企業で働くマイスターまで多様な形態がある。この地方における楽器製作者の集約度と多様性は、世界に類を見ないものである。

写真1　楽器工房のシュレーゲル夫妻、カローラの夫はヴァイオリンのマイスター

楽器製作は職人同士のネットワークによって維持・保護されている。また、このネットワークには、教育機関や研究機関、博物館、オーケストラなども含まれている。楽器製作の伝承に最も重要な役割を果たすのはマイスターであり、熱心な観察や模倣によってのみ可能な伝承が存在する。それらは、記録された本を読むだけでは学ぶことのできない「無形」であるが、この点にこそ、製作保存の最大のリスクがある。直接的な伝承の連鎖が一旦失われてしまうと、取り戻すことができないからである。

また、楽器製作は趣味ではなく生業である。技術の伝承と同時に経済的自立が求められる。そのため、継続的な開発を行うことはもちろん、社会の枠組みに応じた楽器の変更と改良を行うことも必要である。例えば、グローバル化のサプライチェーンと関係するが、経済危機や特定の素材の貿易制限などで楽器業界のネットワークが遮断されることは命取りとなる。

職人の育成と高等教育システム

楽器製作技術の習得は、楽器工房や工場でのみ行われているわけではなく、幾つかの選択肢が用意されている。特に、知識とスキルは職業訓練学校や専門単科大学などの公的教育を通して習得される。また、職人の学位に基づいて高等教育を受けることも可能であるほか、職人の資格だけでも独立できる（従来はマイスターの資格を取らなければ独立できなかった）。さらに、学術的な研究機関としてドレスデン工科大学に楽器製作研究所があり、楽器製作技術における科学的支援システムが開発されている。こうして楽器製作者の育成環境が整備されているが、全てを教授することは不可能である。職人からの直接的伝承がなければ、手工業技術の真髄が失われかねない。実際に、天然樹脂の調整技術を伝承できる職人はいなくなってしまったのである。

楽器製作の保存と伝承には、上記の教育機関と連携して博物館もその役割を果たしている。地域の楽器についての情報の収集、研究、文書化や保存、さらには展示を行うほか、18 世紀末に設立されて以来、職人の訓練

写真２　マルクノイキルヒェン楽器博物館

センターとしても機能してきた。特に、マルクノイキルヒェン楽器博物館(写真2）は、17世紀から21世紀までの弦楽器の最大のコレクションを有するほか、世界各地の4000もの楽器、7000冊の蔵書、独自の製作工房がある。まさに文化遺産の歴史的アーカイブの場となっている。博物館と職人が共同で運営していることから、工房では手狭でできないようなものを博物館で実演することもある。

また、もう一つのネットワークとしてギムナジウム（9年生中等教育機関）が挙げられる。マルクノイキルヒェン市のギムナジウムの生徒は、選択科目として楽器制作とその歴史を学ぶことができる。製作した楽器で演奏することもあるため、アマチュアオーケストラと小さなアンサンブルがあるほか、吹奏楽器を学ぶ環境も整っている。さらに音楽教育は市立の音楽学校で最も盛んに行われているが、それはもともと自作した楽器を演奏する方法を教えるために設立された学校であった。

無形文化遺産として登録されたことによる影響

無形文化遺産のリストに加わることによって何が期待されるのか。また、地域にどのような影響を与えるのか。まずは地域への効果、すなわち内的影響と外的影響を区別しなければならない。内的な効果としては、地域特有のアイデンティティに対する意識形成が挙げられる。100年前の伝統を自覚し、継承し、維持することは必ずしも自明のことではない。無形文化遺産への登録は、楽器製作以外の手工業の調査や文化遺産に財政や人的資源を配分することに対して、市民の合意が得られやすくなる利点がある。

対外的な効果としては、メディアへの露出による知名度向上、文化遺産の「ロゴマーク」の使用による認知の拡大などが挙げられる。また、他の自治体ともより密接に関わるようになった。いま新しい文化発展計画が進められており、これらはリストに登録されたことが追い風になっている。例えば、楽器博物館は改装、増築が予定されており、新しいテーマを取り上げ、展示スペースを広く活用できる見込みだ。音楽学校でもより良い学習環境が整備され、管楽器教育の増設が可能となった。

マルクノイキルヒェン市の事例から、地域のアイデンティティと人格の形成にとって、生きた文化遺産である楽器製造技術が維持され、発展することの必要性が明らかとなった。そのためには公的財政支援とともに、次世代の育成とその環境整備が重要な文化政策案件なのである。

写真3　様々な楽器が展示されている市内のレストラン（右から市長、カローラ、筆者）

おわりに

本書の編纂作業が佳境を迎えていた2021年9月18日（土）夜、筆者は奈良市の春日大社を訪れていた。10代の若者たちの創作活動を支援する「なら国際映画祭」の事業「for youth 2021」の開幕行事が午後7時から行われたからだ。参加した10代は参道に敷かれた60mのレッドカーペットを歩いた。世界遺産に認定された同大社における二の鳥居の朱色、石灯籠に灯された明かり、深い森の緑、群青色の空…。豊かな色彩のもと、未来を担う若者たちと古代から受け継がれた神社の森の対比が鮮やかだった。帰り道は闇の中の境内を歩いた。前後にはだれもおらず、歩いていたのは筆者1人だけ。古代から伝わる森の空気を深呼吸しながら足を前に運んだ。世界遺産の活用と現代的な文化芸術の融合が実に印象的な夜だった。

本書を企画して以降、文化遺産活用に関するニュースを報じる新聞記事がとても気になるようになった。トップニュースではなく、地味な扱いであっても、文化財あるいは文化遺産をめぐる取り組みが今日的な政策課題に浮上したことがよく分かる。未曽有の財源難のなか、文化遺産政策は無駄遣いではないか、という指摘も出されるかもしれない。しかし、政治・経済面に加えて文化芸術が東京に集まるなか、地域固有の文化遺産を活用する文化政策は、均等な国土振興に向けて有力な取り組みであると思える。

本書編纂の歩みを振り返ってみたい。学芸出版社から2020年3月に出版した前作『文化で地域をデザインする』の編纂を終えたころ、編集部に次の書籍について相談したところ、快諾を得た。企画立案から出版まで2年がかりだった。企画立案の直後に新型コロナウイルスの感染が拡大した。現地を訪問し、活躍する人物に会い、リアルな記述を心掛けるという執筆方針を打ち出したものの、緊急事態宣言の発令、まん延防止等重点措置に伴う外出自粛などにより、研究調査活動自体が大きな影響を受けた。海外渡航は見送られ、国内の調査旅行にも支障が出た。困難に見舞われた。

調査活動の実施にハンディを抱えたなか、共著者の方々は予想以上の頑張りをみせてくださった。本書を企画した編者が5分の3程度の原稿を書いたものの、対象は余りに幅広く編者１人では力不足だったので、共著者の寄稿がなければ、本書は成立し得なかった。文化遺産をめぐる課題はきわめて学際的な分野であり、多方面からのアプローチが欠かせないと痛感する。さらに有形と無形の文化遺産を取り扱ったために言及するフィールドは多岐にわたった。実に広範なテーマを掲げてしまった、と今になって振り返っている。幸いにして代表を務める文化と地域デザイン研究所、本務校、所属する日本アートマネジメント学会や日本文化政策学会等の研究仲間たちから支援を得ることができた。このような学縁に恵まれた幸せをかみしめている。共著者に心より御礼を申し上げる。

ロングインタビューに快く応じてくださった〈語り手〉のみなさまにも感謝の気持ちを伝えたい。ご多忙なところ、貴重な時間をいただいた。貴重な話をうかがうことができ、とても学びの多い至福の時間であった。

同時に、事例編に登場していただいた関係者のみなさまのご理解なくして、本書の出版は実現しなかった。多大なるご支援に御礼を申し上げる。紙面の都合上、敬称を略させていただいたことをお許し願いたい。さらに、編者の出版計画を理解してくださった学芸出版社の編集者・岩﨑健一郎さんに改めて感謝の気持ちを伝えたい。

本書は各地を地道に歩いて事例調査した成果をまとめたものである。国内では北海道、茨城、東京、山梨、愛知、福井、静岡、京都、大阪、兵庫、奈良、島根、佐賀の事例を、海外では米国、ギリシャ、英国、独国の事例を取り上げた。ウイルス感染拡大という緊迫した世情のなか、地域での実践や努力を活字に残して報告することができた。この意義を大いに感じ取っている。地域重視の視点で書かれたので、東京から見える風景とは随分と異なっていることだろう。

本書は、現在の本務校を退職後、最初に出版する書籍である。筆者の人生にとって思い出に残る一冊となる。本書が、文化遺産を愛する地域の方々、建築家、歴史学・考古学研究者、自治体職員、財団職員、まちづくり関係者、歴史愛好家、ビジネスパーソン、大学生・大学院生など、実に多彩な読者に届くことを祈っている。

2022年３月　編著者　松本茂章

「文化と地域デザイン研究所」と文化遺産経営

松本茂章

本書『ヘリテージマネジメント』の出版は、2018年に設立した非営利な研究団体「文化と地域デザイン研究所」(代表・松本茂章)の活動成果の1つである。

設立した動機は、2017年に文化芸術基本法が制定され、文化政策の対象が「拡張」されたことで、より広い研究対象と取り組み、多様な専門家と連携するためのプラットフォームをつくりたいと願ったからである。同研究所の理事を中心とした書籍は、先に松本茂章編『文化で地域をデザインする　社会の課題と文化をつなぐ現場から』(学芸出版社、2020)がある。本書は本研究所が関わった2冊目になる。

本研究所の理事は、朝倉由希(公立小松大学准教授)、高島知佐子(静岡文化芸術大学教授)、土屋隆英(京都市京セラ美術館事業企画推進室展覧会プログラム・ディレクター)、藤野一夫(芸術文化観光専門職大学副学長／神戸大学名誉教授)、そして松本茂章の5人(50音順)で構成した。最高顧問には中川幾郎(日本文化政策学会初代会長／帝塚山大学名誉教授)を招いた。1冊目を編纂した際、朝倉、高島、土屋、松本が執筆に参画した。2冊目の本書では朝倉、高島、藤野、中川、松本が執筆した。これで本研究所の理事と最高顧問の全員が執筆陣に加わった。

本研究所の住所は大阪市此花区の元印刷工場に置いた。松本が亡き父から相続した元工場を改装して研究スペースを設けたいと考えたのだ。自ら、古い建物を保存・修復して活用するかを真摯に考える環境になったことが、文化遺産経営の研究に駆り立てた動機の1つである。友人や知人と「このように使えるのでは」などと多彩な論議を重ねた結果、2021年9月から改修工事に入った。ちょうど本書の原稿をまとめる時期だった。

内装工事を行う前に、まずは水道管を引き直したり、屋根の雨漏りを防ぐ工事を施したりする工事が必要だと分かり、妻とともに対策を懸命に考えた。勤務校で授業や指導を行う一方、各地を訪問しての調査活動、雑誌連載、学会活動などに追われていたが、これらと並行しながらの限られた時間のなか、費用と効果のバランスを図ることに苦心した。

元印刷工場は、松下電器産業を経営した「経営の神様」松下幸之助翁の創業地の近くに立地する。往時の大阪には町工場が多数建ち並び、独特の景観を有していた。元印刷工場はかつての「工業都市・大阪」の風景を今に伝えるものである。文化財ではないものの、地域の文化遺産としてとらえることができる、と考えた。そこで、外観をそのままに、荷物昇降機やクレーンなどの内部設備を残して改修することに決めた。工場の雰囲気を伝えながらも現代的に活用したいと願った。建物内部のデザインは本書の第4章2節に登場する此花区梅香在住の建築家・西山広志(NO ARCHITECTS主宰)にお願いした。

本書は、このような研究所の動き、個人的な事情、文化遺産をめぐる現代的な課題がクロスオーバーしながら出版という形で結実したものである。

文化と地域デザイン研究所などの活動を通じて、これからも研究を続けていきたい、と決意している。

著者

中川 幾郎（なかがわ　いくお）
帝塚山大学名誉教授。同志社大学経済学部卒業。大阪大学大学院国際公共政策研究科博士後期課程修了。博士（国際公共政策）。1969年より豊中市役所に勤務、1996年市長公室広報課長を最後に退職。帝塚山大学法政策学部助教授、法学部教授を経て現職。日本文化政策学会会長、日本NPO学会理事、自治体学会代表運営委員、文化経済学会理事などを務め、現在、日本文化政策学会顧問、自治体学会顧問、コミュニティ政策学会副会長。著書は『分権時代の自治体文化政策』『地域自治のしくみと実践』他多数。

南 博史（みなみ　ひろし）
京都外国語大学国際貢献学部グローバル観光学科教授、同学国際文化資料館館長、NPO法人フィールドミュージアム文化研究所所長。関西大学文学部、同志社大学院総合政策科学研究科（修士）。㈶古代学協会平安博物館、㈶京都文化財団京都府京都文化博物館学芸員を経て2011年4月京都外国語大学教授。総合政策科学研究の理論に基づく実践的研究として、地域を博物館と位置付け専門の考古学と博物館学を通して地域課題の解決に取り組むフィールドミュージアム活動を国内外で実施。

髙岡 伸一（たかおか　しんいち）
建築家、近畿大学建築学部准教授。大阪大学大学院工学研究科建築工学専攻前期博士課程修了後、実務を経て大阪市立大学大学院工学研究科都市系専攻後期博士課程修了。博士（工学）。大阪の都市部を中心に、近現代建築のリノベーションを数多く手がける。生きた建築ミュージアム大阪実行委員会事務局長。

朝倉 由希（あさくら　ゆき）
公立小松大学国際文化交流学部准教授。京都大学文学部卒業。東京藝術大学大学院音楽研究科応用音楽学博士後期課程修了。博士（学術）。2017年度より文化庁地域文化創生本部研究官。大学等研究機関と文化庁との共同研究の推進等を担当。2021年4月より現職。共著に『文化で地域をデザインする―社会の課題と文化をつなぐ現場から』（学芸出版社、2020）等。

信藤 勇一（のぶとう　ゆういち）
株式会社日建設計勤務、シニアマネージャー。京都市立芸術大学大学院美術研究科博士（後期）課程美術専攻環境デザイン領域在学中。愛知県立芸術大学大学院美術研究科デザイン専攻修士修了。大阪市立大学大学院都市経営研究科修士修了。歴史文化遺産の保存と活用の価値について研究、プロデュースに携わる。大阪府ヘリテージマネージャー、一級建築士。

高島 知佐子（たかしま　ちさこ）
静岡文化芸術大学文化政策学部芸術文化学科教授。大阪市立大学大学院経営学研究科後期博士課程終了。博士（商学）。専門は経営学・アートマネジメント。中小企業基盤整備機構、大阪市立大学都市研究プラザ、京都外国語大学を経て現職。伝統文化に関わる組織を中心に、文化・芸術団体の長期的経営について研究。

森屋 雅幸（もりや　まさゆき）
江戸川区教育委員会学芸員。法政大学大学院人間社会研究科博士後期課程修了。博士（学術）。立教大学大学院、静岡文化芸術大学で非常勤講師を務める。都留市教育委員会を経て、2020年から現職。コミュニティと文化財保護の関わりについて研究する。著書に『地域文化財の保存・活用とコミュニティ：山梨県の擬洋風建築を中心に』（2018、岩田書院）。

西村 仁志（にしむら　ひとし）
広島修道大学人間環境学部教授、博士（ソーシャル・イノベーション）。1993年 京都にて個人事務所「環境共育事務所カラーズ」を開業。同志社大学大学院総合政策科学研究科准教授を経て、2012年より現職。編著書に『ソーシャル・イノベーションが拓く世界』（法律文化社）、『ソーシャル・イノベーションとしての自然学校』（みくに出版）ほか。

石本 東生（いしもと　とうせい）
國學院大學観光まちづくり学部教授。ギリシャ共和国アテネ大学大学院歴史考古学研究科博士後期課程修了、Ph.D. ギリシャ政府観光局日本支局、奈良県立大学地域創造学部准教授、（公）静岡文化芸術大学文明観光学コース教授などを経て、2021年4月國學院大學に着任、2022年4月より現職。EU、特に南欧の観光政策が専門。

藤野 一夫（ふじの　かずお）
兵庫県立芸術文化観光専門職大学副学長。神戸大学名誉教授。日本文化政策学会会長、（公財）びわ湖芸術文化財団理事、（公財）神戸市民文化振興財団理事ほか文化審議会等の委員を多数兼任。著書・編著に『公共文化施設の公共性：運営・連携・哲学』『基礎自治体の文化政策：まちにアートが必要なわけ』『市民がつくる社会文化：ドイツの理念・運動・政策』『みんなの文化政策講義：文化的コモンズをつくるために』（以上 水曜社）、『地域主権の国 ドイツの文化政策：人格の自由な発展と地方創生のために』（美学出版）、『ワーグナー事典』（東京書籍）、『ワーグナー 友人たちへの伝言』（共訳、法政大学出版局）など。

編著者

松本 茂章（まつもと　しげあき）

専門は文化政策、文化を活かしたまちづくり政策。日本アートマネジメント学会会長、日本文化政策学会理事、文化と地域デザイン研究所代表、法政大学多摩共生社会研究所特任研究員。読売新聞記者・デスク・支局長を経て、県立高知女子大学教授（現、高知県立大学）（2006年4月－2011年3月）、公立大学法人静岡文化芸術大学教授（2011年4月－2022年3月）を歴任。全国各地の文化施設を訪ね歩き、時事通信社の行政雑誌『地方行政』等に連載を執筆している。
単著に『芸術創造拠点と自治体文化政策　京都芸術センターの試み』(2006)、『官民協働の文化政策』(2011)、『日本の文化施設を歩く』(2015)。単独編著に『岐路に立つ指定管理者制度』(2019)、『文化で地域をデザインする』(2020)、『はじまりのアートマネジメント』(2021)。共著多数。

ヘリテージマネジメント
地域を変える文化遺産の活かし方

2022年5月5日　第1版第1刷発行

編著者………松本茂章

著　者………中川幾郎・南博史・髙岡伸一・
朝倉由希・信藤勇一・高島知佐子・
森屋雅幸・西村仁志・石本東生・
藤野一夫

発行者………井口夏実
発行所………株式会社 学芸出版社
京都市下京区木津屋橋通西洞院東入
〒600-8216　電話 075-343-0811
http://www. gakugei-pub. jp/
Email　info@gakugei-pub. jp
編集担当……岩﨑健一郎

DTP………株式会社 フルハウス
装　丁………テンテツキ　金子英夫
印　刷………イチダ写真製版
製　本………新生製本

ISBN 978-4-7615-2817-1　Printed in Japan